타인의 이야기를
따뜻하게 공감해주시는
_____님께
이 책을 선물합니다.

책삶은 글쓰기

책이 삶이 되는 사람들의 이야기

책삶은 글쓰기

권태남 I 김옥남 I 김정자 I 김향숙 I 방숙희
박진영 I 서승임 I 유소현 I 오로라 I 이규진 I 이수영
이선희 I 이승희 I 임정희 I 따다샘 I 조종희 I 표명환

| 들어가며 |

 2020년 7월부터 시작한 '새깨독'은 처음에 이선희, 정봉영 대표 중심으로 하브루타미래포럼 협회에서 공부하신 분들과 동아리로 시작을 했습니다. 오전에 하면 직장 다니시는 분들이 참여가 힘들고, 저녁이면 가정 돌보시는 분들이 참여하시기 힘들어서 정하게 된 시간이 토요일 아침 6시였어요. 모인 분들이 한 번 하시면 오래 지속하시는 경우가 많아요. 책을 통해 나의 신념이나 삶들을 솔직하게 나누다 보니 정이 깊게 드는 것 같습니다.

 시간이 흐르다 보니 모임 활동도 이번처럼 글쓰기 프로젝트나 초*중등 독서모임, 기독교 인문·고전 아카데미[샬롬], 가족 독서모임 [독서家 어울림], 독서 특강과 함께 다양하게 시간대도 확장되었어요. 처음엔 다양한 장르의 책을 나누다가 인문·고전 중심으로 모임을 하게 되었는데, 더 나눔과 깊이가 풍성해진 것 같아요. 하브루타와도 너무나 잘 어울리죠.

본문 중심으로 내용을 파헤치며 인물과 사건의 깊이 있는 철학적 탐구를 통해 나와 사회에 일어나는 일에 대한 성찰을 할 수 있게 되죠. 이런 것들이 이 모임에 큰 매력인 것 같아요. 나눔이 대부분인 모임이라 참여자들을 이렇게 잘 만난 것도 큰 복이겠죠?;)

오래 하신 분들은 말과 글의 깊이도 많이 성장하심을 보게 돼요. 그래서 이번엔 특별히 책을 사랑하시는 분들의 주옥같은 생각들을 놓치고 싶지 않아서 4주년을 기념한 글쓰기 프로젝트로 이렇게 책을 내게 되었습니다. 대부분 책 쓰기가 처음이신 분들이지만 따뜻한 선생님들의 글들을 통해 공감하시면서 삶의 의미와 감사함들을 다시 되새기는 계기가 되면 좋겠습니다.

새깨독리더 이선희

덧++ 저희 모임은 무엇보다 독서를 통한 건강한 가족 중심의 문화 그리고 사회를 세우는데 목적을 두고 있습니다. 앞으로도 주기적으로 계속 다양한 독서 모임과 함께 출판 활동을 할 계획이에요. 책을 사랑하는 많은 분들 기다립니다.

2024년 어느 봄날
우리는 책을 맛있게 삶기 위해
곳곳에서 값진 재료를 모아 보았다.

|Contents|

우리는 우리가 무엇을 생각하는지
발견하게 위해 글을 쓴다.
-조앤 디디온-

Chapter1
내 마음의 공장 안에서

표명환

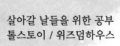

살아갈 날들을 위한 공부
톨스토이 / 위즈덤하우스

MS워드나 PPT의 문서도구에 보면 사용할 수 있는 도형들이 있다. 그중에 위의 도형과 같이 안과 밖의 두 개 사각형 모양이 있다. 이 두 사각형은 네 모서리가 서로 연결되어 있다. 그래서 하나의 도형에서 모두 두 개의 사각형이 입체감 있게 보인다.

다시 말하면 전체가 볼록한 사각뿔대 모양이거나 동시에 다른 한편으로는 뚜껑이 없는 어떤 빈 상자같이 보인다. 물론 착시 현상이다. 조금만 살펴보면 금방 누구나 이 두 가지 입체 모양을 동시에 알아볼 수 있다.

이것은 우리가 바라보는 시각의 이중성이다. 보고 있는 동일한 한 물체에서 전혀 동일하지 않은 다른 물체를 발견한다. 우리 내면의 세계도 비슷하지 않을까? 우리 마음도 같은 현상을 종종 보여준다. 같은 문제라도 바라보는 관점에 따라 해법이 여럿이 있을 수 있다. 마음속에서 받아들이는 여러 해석이 존재하는 이유다.

보이는 것은 보이지 않는 어떤 것과 깊은 연관이 있다. 있음과 없음이 서로 유기적인 관계 속에 존재한다. 유무상통(有無相通)이다. 보이는 것에 보이지 않는 것이 내재되어 있다. 또한 보이지 않는 것에 보이는 것이 분명히 존재한다. 그러므로 보이는 것 자체로만 보는 관점은 보다 더 넓은 세계에 있는 것, 당장은 보이지 않을 뿐인 그 어떤 것을 놓치게 될 때가 허다하다.

예를 들면 우리가 흔히 하는 이야기가 그렇다. 컵에 물이 절반 정도 있을 때 두 가지 말을 할 수 있다. '물이 반컵이나 남았네'라거나 '물이 겨우 반컵 밖에 없네'라고 한다. 남아 있는 물에 대한 긍정과 기대의 생각이 존재하는가 하면 반대로 물의 부족함이 더 부각되어 내 마음을 지배하는 경우다. 긍정과 부정, 적극성과 소극성, 감사와 불평은 언제나 함께 붙어있는데 우리가 어떤 것을 취하느냐는 자유다. 다만 선택은 전적으로 우리 몫이다.

우리의 내면세계는 셀 수 없이 많은 다양한 생각 기계들이 들어있는 마음 공장이 아닐까? 그 공장 안에 우리가 소유한 마음의 생각 도구들을 어떻게 다루는 가에 삶의 결과가 달라진다. 톨스토이(Tolstoy)는 그의 책에서 우리가 가진 생각은 손님과 같다고 한다. 좋든 나쁘든 손님을 비난할 수 없지만, 우리 생각은 나쁜 것은 몰아낼 수 있고 좋은 것은 지킬 힘이 있다고 했다. 결국은 우리 마음 공장안에 해 답이 있음을 깨닫는다. 공장안에 보유하고 있는 생각이라

는 무수한 기계들을 어떻게 가동시킬 것인가? 오늘도 기름
냄새나는 작업복 차림으로 내 안의 마음 공장에 들어선다.
내 손에 잡아 든 생각 작업도구를 힘 있게 다잡아 쥔다.

덤으로 사는 인생의 감사

삶과 죽음의 거리는 결코 멀지 않은 것 같다. 나에게 삶
이 진정 소중한 것은 죽음의 경계에서 구출받았던 기억
때문이리라. 잊을 수 없는 생과 사의 경계에 섰던 경험은
오늘 내가 숨 쉬며 사는 것이 덤으로 사는 인생이라 고백
하게 한다. 어린 시절과 청년기에 겪은 사건이다. 생생한
기억의 현장은 모두 물에 빠져 죽을 뻔했던 곳이었다.

초등학교 다닐 때다. 시골에 살았는데 학교는 걸어서 약
40분가량 가야 했다. 당시 여름철 홍수로 등굣길의 하천은
흙탕물로 가득 넘실거렸다. 그런 어느 날 등교하던 때였
다. 나는 손을 씻겠다는 이유로 빠르게 흘러가는 냇물가로
다가갔다. 손을 씻고 몸을 일으키는 순간이었다. 두 발을
딛고 있던 물가의 흙이 급류로 무너져 휩쓸려 내려가기
시작했다. "악~!" 하는 비명 소리와 함께 내 몸은 흐르
는 물속으로 빠르게 끌려 들어가기 시작했다. 순간 본능
적으로 한 손을 뻗어 바로 앞에 보이는 풀 한 포기를 잔

뜩 움켜쥐었다. 이미 하반신의 절반은 급류 속에 잠긴 상태였다. 뜯겨버릴 수도 있는 그 잡초는 내 손아귀에서 힘을 지탱해 주었다. 가까스로 그 고마운 풀더미를 의지해 내 몸은 서서히 물 밖으로 빠져나올 수 있었다. 바지는 흠뻑 젖은 상태였지만 나는 결국 살아났다.

두 번째 이야기는 20대 후반 어느 시기였다. 어느 단체 캠프에 참여해 갔다. 캠프장 앞에 맑은 물이 넉넉히 흐르는 개울가에서 물놀이하며 함께 즐기던 때였다. 함께 수영하던 한 순간, 나는 그만 제법 깊은 물속에서 몸의 균형을 잃어갔다. 허우적거리며 떠 내려가는 나는 이제는 죽는구나 하는 직감이 들었다. 그때 저 쪽에서 함께 있던 동료 친구가 능숙하게 수영하며 다가와 나를 붙잡아 안전하게 이끌어 구해주었다. 생명을 잃을 뻔한 위기에서 살았으나 그에게 제대로 고마움을 표현했는지 기억도 나질 않는다. 수십 년이 지났지만 그때 나를 살려준 그 친구의 얼굴은 또렷이 기억한다. 그 후 연락이 닿지 않아서 많이 아쉬웠다. 언제 한번 꼭 만나서 너무 늦었어도 깊은 감사를 전하고 싶은 마음 간절하다.

지금도 그날들을 다시 생각하면 온몸이 오싹해지고 등줄기에 식은땀이 흐르는 것 같다. 인명(人命)은 재천(在天)이라 말한다. 사람의 목숨은 하늘에 달렸다는 뜻이다.

어떤 불가사의한 신(神)적 힘에 의해 인간 생명은 좌우되는 것은 아닐까 하는 생각도 든다. 내가 오늘을 깊은 생명에의 경외감으로 살아야 할 이유다. 그렇게 살아난 내 삶은 덤으로 받은 삶이 아닐 수 없다.

오늘도 계속 살아있어야 할 까닭을 곰곰이 생각해 본다. 나는 가끔 스스로에게 묻곤 한다.
'냇가의 풀 한 줌이 나를 살렸고, 한 친구의 도움으로 내가 살았으니 이제 나는 어떻게 살아야 마땅하겠는가?'

하찮은 잡초 한 포기를 포함한 모든 자연만물에 고마움을 새삼 느낀다. 또한 주위의 어떤 사람이라도 지금의 그가 참으로 소중한 존재인 것을 깨닫는다. 그 모든 것을 존중하고 사랑하리라 다짐한다. 나를 늘 겸손과 감사로 돌이키게 하는 나침반 같은 기억들이다.

톨스토이의 다음 글은 그래서 더욱 내 피부에 깊이 와닿는 빛나는 등대 빛과 같다.

삶은 위험에 가득 차 있으므로
인간은 언제든 죽을 준비를 해두어야 한다.
그렇게 하면 삶이 자유로워지고
타인을 사랑하면서 영혼을 살찌우는 데 힘을 쏟게 된다.
·살아갈 날들을 위한 공부 /톨스토이/위즈덤하우스 p. 211

Chapter2
내 삶의 보물찾기

서승임

당신은 결국 무엇이든 해내는 사람
김상현 / 필름(출판사)

결국 무언가를 끝까지 해내는 사람들의 마음 안에는 무엇이 담겨 있을까?

마음에 무엇을 담느냐에 따라 달라진다라는 말이 마음같이 와닿지 않는 현시점에서 글을 써 내려가 봅니다. 그전에 나의 마음부터 살펴봅니다.

마음에 반창고 하나쯤은 붙이고 있어야 할 현실에……. 긍정의 단어들을 떠 올리며 억지로 이끌어가는 삶이 아닌가라는 생각을 해봅니다.

신이 누구에게나 준 최고의 선물이 하나 있다고 합니다.
그것은 바로 "희망"이라는 보물입니다.

같은 상황 속에서도 어떤 사람은 "희망"에 초점을 맞추고 살아가는 반면에, 어떤 사람은 "절망"에 초점을 맞추고 살아간다고 합니다. 이런 사람의 인생에는 너무나도 큰 차이가 생겨나기 마련이라고 합니다.

그런 누군가를 비교해보기에……. 그들의 삶들을 전부 아는가 그렇지도 않고, 그렇다고 내가 나를 전부 잘 아는가 그렇지도 않습니다. 그래도 좀 더 자신 있고 잘 아는 쪽을 택해야 한다면 나 자신이 아닐까 해 저를 바라다봅니다.

저는 제 삶을 조심스럽게 들여다봅니다.
저는 항상 무슨 일이든 쉽게 포기해 버리는 제 모습이 안타까웠습니다.

그래서 제 삶이 치료되는 그 시점에서부터 아니, 그전부터 생각해보아야 합니다. 그리고 그때부터 지금까지를 조명해봅니다.

힘들고, 포기하고 싶고, 절망하고 싶고 내가 초라하게 느껴질 때면 나도 모르게 나의 가슴속엔 나쁜 단어, 부정적인 단어들이 가득함을 보아왔고, 지금의 나에게 그때의 나를 바라보며 안타까움을 보내봅니다.

신이 주신 그 "희망"이라는 단어만 남게 될 때까지 얼마나 무너진 삶을 걸어왔는지 스스로를 위로도 해봅니다. 저는 이 글을 쓰며 그런 과거를 지닌 나에게 한 마디 해주고 싶습니다.

오늘 이 글을 쓰는 그날이
희망의 첫날이 시작되길 바란다고…….
그리고 지난 온 저를 보며 말합니다.

결과보다 더 소중한 과정이 있기에
오늘 나의 모습이 아름답다고…….

난 할 수 있어!!

늘 듣는 이야기가 하나 있었습니다. 해 보기도 전에 안 된다고, 못 한다고 이야기하는 것들입니다. 어느 날부턴가 포기 하겠다고 하는 말을 하지 말라고 수없이 들으며 삽니다. 그리고 생각합니다. NO라고 이야기하지 말고 과감하게 YES라고 이야기해 보며 살아온 적이 있는가... 전혀 없다고 말하며 그게 더 두려움을 주는 게 아닌가 싶습니다.

실패를 반복하다 보며 그게 마침 포기가 되는 상황과 같게 여겨질 때가 많습니다.

그때 "다시", "다시"라는 긍정의 생각 그것이 세상에서 가장 강력한 에너지를 줍니다. 포기하고 싶은 나에게 반복의 즐거움이 주는 일상의 감사 훈련은 지금의 저를 있게 합니다.

인내가 얼마나 쓴지…. 하지만, 그 열매는 달다고….

저는 아이가 다섯입니다.

하나를 낳고, 둘을 낳고, 셋을 낳고, 넷을 낳고
다섯을 낳아 키우는 엄마에게 인내란….

아플 때 쓴 약이지만 먹어야지만
잠시의 힘겨움을 이겨낼 수 있는….

시간이 지날수록 나를 더 힘 있게 하는
좋은 약과 같은 쓴 약이었습니다.

참고 그것을 먹어두었기에
행복이라는 건강함을 주고 있습니다.

사랑스러운 다섯 자녀들

마음에 훼방꾼이 찾아와 쓰지 못한 나약한 인간으로 만들어 버리기 쉬운 환경 속에서도 엄마라는 존재... 모성애는 빛을 발할 때가 더 많았습니다.

지금 여러분들의 머릿속에는 어떤 생각들이 주인이고 어떤 생각들이 손님인가요?

인생은 자전거 여행이라고 합니다.

자전거 여행에서는 빨리 가는 것보다 포기하지 않고 완주가 더 중요하답니다.

많이 넘어져 볼수록 더 빨리 배우게 됩니다.

Chapter3
모든 순간 내 마음에 사랑이 있기를

조종희

말은 마음에서 나옵니다
김종원 / 카시오페아출판사:오아시스

나는 어려서부터 남의 말을 잘 받는 편이었다. 원가정의 분위기 때문이었을지 나의 내향적 성향 때문인지 그 이유는 명확히 몰라도 나는 다른 사람이 말하면 적어도 겉으로는 "아, 당신의 생각이 그렇군요." 라고 받는 사람이었다. 사람들은 내 생각을 별로 궁금해하지 않는다는 것, 내 생각 -특히 상대와 조금이라도 다른 생각-을 꺼내게 되면 분위기를 흐려버린다는 것을 살면서 체득했던 것 같다. 내 마음이나 생각은 마음속에 묻어두고 다른 사람의 의견을 받아들이는 척하는, 그런 소통의 방식을 택하며 삶을 살아왔던 것 같다. 그런데 그것이 진정한 의미에서 '소통'은 아니었다. 듣는 사람과 말하는 사람이 고정된 소통은 뭔가 일그러진 공 같지 않은가. 이런 소통의 방식이 문제가 된 것은 내 가족이 생기고 난 다음부터였다. 어느 유튜브 강연에서 듣고 알게 된 것이 있는데 우리 뇌는 나와 가장 가까운 배우자 또는 자녀를 타인으로 인식하지 않고 자기 자신이라고 착각하게 된다는 것이다. 그래서 때로는 나를 함부로 대하듯 가족에게 함부로 하게 된다는 것이다.

나의 사고방식대로 내 가족이 움직여주기를 기대하게 된다는 것이다. 나의 뇌도 그렇게 착각을 해버린 것일까? 집 밖에서는 절대 내비치지 않는 내 의견을 남편과 자녀들에게는 아주 직설적으로 말해버리는 문제가 생겨버린 것이다. 특히 남편과 둘째 아들은 감정적으로 예민한 편인데 나의 말에 상처를 받는 일이 종종? 자주? 있게 되고 남편과는 그 문제가 골이 깊어져 내가 자신을 신뢰하지 않는다고 느끼는 지경까지 이르게 되었다. 일이 그렇게 되고 나니 가정 안에서 어떻게 말해야 하는가에 대해 나도 조심스러워지고 어려워졌다. 그런 상황 가운데 내 눈에 들어온 책이 김종원 작가의 <말은 마음에서 나옵니다.>였다. '말'에 관한 책들을 읽으면서도 마음에 시원한 답을 얻지 못했었는데 역시 마음의 문제였나? 하는 생각이 들었다. 이 책의 서두에 이런 말이 쓰여 있다.

"우리에게 필요한 건 단순히 문법과 이론에 맞는 정답 같은 말이 아니다. 이럴 때는 이렇게, 저럴 때는 저렇게 말해야 한다는 법칙을 내밀기 전에, '마음'을 먼저 들여다보아야 한다. 나의 마음과 상대의 마음을 말이다. 말속에 깃든 마음을 먼저 바꾸지 않으면 아무리 수많은 대화법을 익혀도 소용이 없다. 말은 당신의 마음을 드러내기 때문이다. 그러니 내 정성과 노력을 상대에게 전하고 싶을 때, 상대가 힘든 마음을 호소하며 다가올 때, 사랑하는 가족에게 내 안에 있는 사랑을 전하고 싶을 때 우리가 기억해야 할 건 오직 하나, 서로의 마음에 다가가려는 노력이다."(8p)

나 또한 굉장히 소통에 목마른 사람이라는 걸 나 스스로가 안다. 나는 어떤 것을 함께 읽고 보고 이야기 나누며 통했다는 느낌을 받을 때, 서로의 마음을 이해했다고 느낄 때 행복감을 느낀다. 그런데 나 또한 남편과 아이들과의 소통에서 그런 느낌을 받지 못해 마음에 어려움이 있었다. 그런데 이 글을 읽으면서 '잠깐, 내가 가족들의 마음에 다가가려는 노력을 했던가?' 하고 아차 싶었다. 작가는 이 책에서 '관계는 살아 있는 두 사람이 얽혀있기 때문에 (관계는) 생물'이라고 하는데 나는 가족들에게 진심 어린 관심과 호감을 표현했었는지 돌아보게 되었다. 각 사람의 마음은 눈에 보이지 않고, 사람과 사람 사이의 연결된 마음도 눈에 보이지 않는데, 보이지도 않는 이것들을 볼 수 있게 하는 것이 결국 말이라는 것을 다시 한번 생각하게 되었다.

나는 그다지 말을 잘하는 사람도 아니고, 아름다운 말, 센스 있는 말을 하는 편도 아니다. 어렸을 적 그렇게 상냥한 말을 들으면서 자라지도 않았다. 단지 부모님의 희생과 성실하셨던 삶을 보며 자랐고 다 커서는 그게 부모님의 사랑이었구나 하고 깨달아 알게 되었다. 내가 그런 사랑을 받았

듯 나도 그저 그렇게 말로 표현하지 않는 사랑을 했던 것은 아닐까? 아니 상대의 필요와 욕구보다도 나의 갈급함에만 더 몰두하고 있지는 않았나 되돌아보게 되었다.

이런 나에게 이 책에서 필요한 지침을 내려주었다. 내가 밑줄 그었던, 기억하고 싶은 몇 구절을 아래에 남겨놓고 싶다.

"당신의 하루를 돌아보라. 당신은 어떤 언어로 하루를 채우고 있는가? 삶을 변화시킬 언어 감각은 일상에서부터 시작해야 한다. 가장 좋은 방법은 먼저 '관계를 사랑하는 마음'을 가지는 것이다. 나와의 관계, 타인과의 관계, 세상과의 관계를 사랑하는 사람이 가장 적절한 언어를 구사할 수 있다."(84p)

"듣기만 해도 마음을 따뜻하게 해주는 다정한 말은 단단한 마음에서 나온다."(86p)

"겸손은 나를 낮추는 게 아니라, 상대의 존재를 인정하는 것이다. 호칭이 바뀌면, 그 사람의 마음도 둘의 관계도 바뀐다. 상대를 대화의 주인공으로 초대하고 싶다면, 그를 무대 중심에 세울 수 있는 호칭으로 불러야 한다."
(92p)

"사람은 누구나 내면에 자신이 자주 사용하는 말을 담고 있고, 다양한 상황에 맞게 말을 꺼내어 상대에게 보여준다.

아무리 검색해도 적절한 말을 찾을 수 없는 이유는
'내 안에 없어서 꺼낼 수 없기'때문이다.
찾지 못해서 말하지 못한 게 아니라, 그런 다정하고
예쁜 말이 내 안에 없어서다."(238p)

이 책을 읽으면서 가장 먼저는 '어떤 과정을, 어떤 관계'를 더 중심적으로 더 사랑으로 마음에 들여야겠다는 결심을 했다. 일의 결과가 아닌, 과정을 세심하게 관찰하고, 내가 사랑하는 사람들과 그 사람과 나의 관계를 세심하게 관찰하는 여유가 내게 필요하다. 사랑이 먼저다. 사랑이 먼저라는 것을 알고 있었지만 당장에 나의 삶의 우선순위에서 밀려났던 것을 알게 되었다. 내 마음에 사랑이 가득 차 흘러넘치면, 그 사랑이 나의 입에서 비로소 흘러나오지 않을까? 그런 날을 기대하게 되었다.

그리고 호칭에 관하여! 우선 나의 가족들에게 어떤 호칭으로 불러줄까 고민하고 용기를 내보려고 한다. 진정으로 사랑으로 소통하는 그날을 상상하며 행복감으로 오늘 하루를 마친다.☺

Chapter4
그런 여자의 요리책 읽기

오로라

헬렌니어링의 소박한 밥상
헬렌니어링 / design house

요리를 잘하지 못하는 그런 여자,
맛에도 민감하지 않은 그런 여자,
게다가 손도 느린 그런 여자……

그런 여자가 책 제목에 끌려 92세 할머니의 요리책,
그것도 사진 한 장 없는 글로만 구성된 요리책을
읽게 되었다.

헬렌 니어링의 소박한 밥상

"엄마 설거지 내가 할까?" 부엌에서 오랜 시간 일하는
엄마를 돕고 싶어 고양이 손이라도 빌려주고 싶은 엄마
를 사랑하는, 또래 초등생보다 두 살 정도 많아 보이는
키가 크고 통통하고 까무잡잡한... 엄마를 좋아하고 사랑
했던 여자아이. 그 아이에게 엄마는 "그런 거 지금부터
안 해도 돼~ 나중에 다 하게 되어 있어!"라고 했다. 6남
매 중 맏이였던 엄마는 서운함이 담뿍 묻어나는 추억담
을 이야기해 주곤 했다.

중, 고등학생 시절 방과 후 도서관에서 책이라도 읽고 조금 늦게 집에 간 날이면 할머니에게 꾸지람을 그렇게 들었다며, 줄줄이 사탕으로 있는 동생들은 일하는 할머니 대신 K-장녀인 엄마가 돌봐 주는 몫을 감당해야 했다. 문학과 역사를 좋아했던 엄마의 소녀 시절! 그때 읽었던 책들이 그렇게 재밌고 맛있었다고…… 아직도 그때 엄마 말에 담긴 아쉬움이 짙게 느껴지며 어렵고 풍족하지 못했던 그 시대의 두 여자에게 애잔한 마음이 든다. 그 후로도 몇 번 엄마는 아이의 고양이손 같은 도움에 당신이 어린 시절 마음껏 누리지 못한 것들을 누리게 해주고 싶어 괜찮다며 마다했다.

엄마의 가슴에 남아있는 아쉬움과 그리움을 발판 삼아 아이는 집안일 외 것들을 누리며 엄마의 아쉬움을 대신 채워 나갔다. 아이는 그 시절 엄마가 아이에게 내주었던 많은 시간과 기회들, 경험이 또 다른 모양의 사랑이었음을 깊이 느끼며 어른이 되었고 이제 아이는 여자로서 한 남자의 아내, 한 아이의 엄마가 되었다. 때가 되면 다 한다는 엄마의 말씀은 맞았지만 아이는 요리를 잘하지 못하는 '그런 여자', 맛도 민감하지 않은 '그런 여자', 게다가 손도 느린

'그런 여자'가 되었다. 그런 여자가 바로 '나'이다.

집안일과 특히 요리에 재주도 흥미도 없어 먹는 것은 대충 때우는 식이었는데 아이가 일반식을 먹을 수 있는 나이가 되고서는 요리를 잘하지 못하고 손이 느려도 요리를 할

수밖에 없었다. 대부분 1식 1찬 또는 한 그릇 식으로 준비할 때가 많은데 이런 나에게 "헬렌 니어링의 소박한 밥상"이란 책 제목이 우선 마음에 들었다. 소박한 밥상이라니! 난 거창하게 밥상을 차릴 능력이 없으므로 위안이 되는 제목이다. 또, 소박한 밥상을 외국의 92세 할머니가 어떻게 차려내며 사셨는지 궁금해 구미에 당기는 책이 되었다. 그런데 책을 펴고 제목보다 더 좋았던 것은 저자인 헬렌 할머니가 "부엌에서 가능한 한 최소한의 시간을 보내고, 조리법이나 요리책 따위를 참조해서 음식을 만들지 않고, 그저 되는대로 재료들을 섞어 재빨리 식사 준비를 하는 사람"이라고 자신을 소개한 것이다.

나도 저렇게 상을 차리고 싶다! (아, 이미 나는 상은 대충 차리고 있지...) 그런데 '대충'이라는 단어가 무색하게 헬렌 할머니의 음식은 맛이 그렇게도 있다고 한다. 이 책도 할머니 음식을 먹어본 사람들의 성화와 추천에 의해 탄생한 책이라고 하니 요리 무지렁이에 곰 손인 나란 여자에게 92세 헬렌 할머니의 저 경제적인 생각과 대충 하는 요리에 숨은 맛 솜씨가 너무 매력적으로 다가왔다.

할머니의 레시피에 나온 재료 중 우리 집에 없는 재료들이 있어 아직 요리해 보지 못했으나 도전해 보고 싶은 레시피들은 사진을 잘 찍어 두었다. 할머니는 채식주의자여서 육식에 대한 신랄한 지적들도 쓰셨는데 공감되는 부분들도 많다. 나는 육식을 좋아하지는 않지만 아예 안 먹는 사람은은 아니다. 그러나 앞으로 먹거리로 인한 생태계 파괴를 생각하지 않을 수 없는 시대를 살아가고 있기에 헬렌 할머니의 주장에 살포시 손을 얹게 된다. 이렇게 헬렌 할머니의 책을 읽고 내가 먹고 있는 음식들과 냉장고를 보니 간단하지만 죽어있는 음식들이 내 식생활의 주를 이루고 있음을 직면하게 되었다. 헬렌 할머니는 살아있는 재료로 간단하고 맛있는 음식을 만들었지만, 나는 냉동과 냉장식품들로 간단한 요리를 한다는 차이점이 있다. 이 간극을 어떻게 좁혀 나갈지 숙제를 얻은 기분이다. 앞으로 다가올 갱년기와 노년기를 건강하게 지나려면 먹는 것에 신경 써야 할 때가 되긴 되었다. 소박하면서도 맛있으면서도 건강한 음식! 이 세 마리 토끼를 다 잡을 수 있으려면 많은 시간 헬렌 할머니의 레시피로 훈련도 해 보며 변형도 해 보는 과정이 필요할듯하다.

이렇게 단시간, 간단한 헬렌 할머니의 밥상 차림과 달리 긴 시간 주방에서 일하며 밥상을 차려냈던 엄마는 손품과 시간이 많이 소요되는 한국 음식의 특성상 엄마의 대부분에 시간을 부엌에서 보내야만 했다. 시어머니도 우리가 가면 많은 시간을 주방에서 지내신다. 한국 음식이 손이 많이 가는 음식임이 헬렌 할머니의 레시피들을 보니 새삼스레 다가온다. 친정엄마도 시어머니도 주방에서 보내는 긴 시간만큼 그분들 사랑의 크기가 비례되는 것 같다. 음식으로 표현하고 전하는 사랑인 것이다! 나의 원 가족은 먹는 것에 자유를 많이 주는 스타일이었다. 먹고 싶으면 먹고 안 먹고 싶으면 안 먹고! 꼭 하루 세 끼를 다 먹지 않아도 되는 식사 문화를 가지고 있는 집이다. 먹는 것보다는 자는 것이 더 간절했던 학창 시절, 아침을 먹이고 싶은 엄마의 마음보다 나의 취침권이 더 우선 되어 아침을 거르는 날이 많았다. 그런 내게 등교 전 엄마는 여러 번 아침 식사를 권했지만, 잠에서 덜 깬 내 장기들은 갑자기 들어오는 음식을 침입자로 여겼다. 아침을 먹은 날이면 배가 꼬이며 아프기를 여러 번 경험 후 그렇게 나는 아침을 먹지 않는 사람으로 30년 이상을 살아오고 있다.

반면 남편의 가족은 아침을 든든히 먹는 집이고 하루 세 끼를 꼭 먹는 가족의 식문화를 가지고 있다. 그래서 신혼 때 아침 식사로 인한 갈등이 몇 번 있었지만 나는 여전히 아침을 먹지 않는다. 남편은 회사에서 아침 식사를 할 수 있어서 다행이다. 새벽 5시부터 일어나 갓 지은 따끈한 밥과 국, 생선구이, 다양한 밑반찬을 차려 가족의 아침상을 준비해 내는 시어머니는 아침을 먹지 않는 이런 내가 이해되지 않으신다. 시댁에 가면 아침을 거르는 나를 보며 서운해 하셨다. 당신의 아침상을 마다하고 거절한 사람은 아마도 내가 처음이었던 것 같다. 반찬이 입에 맞지 않아 안 먹나? 불편한가? 등등... 우리 시어머니도 아침상을 거절하는 나를 보며 많은 생각을 하셨을 수 있겠다. 그래서 여전히 아침을 권하셨던 걸까? 우리 시어머니 반찬은 늘 맛있다.

　단지 난 아침에 그 맛을 기쁘게 누리지 못할 뿐! 맛없지 않다. 또 어쩌면 '괜찮아, 불편해하지 않아도 돼. 우리는 이제 식구잖니'하는 마음을 밥 먹기를 권하는 말에 기대어 전하셨던 것일지도 모르겠다. 그렇게 10여 년이 훌쩍 지난 지금 시어머니는 나의 아침 먹이기를 아주 조금은 포기하셨다. 그래도 다른 식구들이 아침을 먹을 때면 여전히 국이라도 한술 먹어보라며 따뜻한 국을 한 그릇 더 떠서 상에 놓고 권하신다. 남편이 극구 말려도 그게 시어머니의 사랑 표현법이니 우리 시어머니는 남편의 타박에도 불구하고 계속 따끈한 국을 한 그릇 더 뜨신다. 내 원가족의 식문화와 너무 달라 먹는 것을 강권하는 시어머니가 처음에는 잘 이해되지 않았다. 시댁은 아침 6시에 식사를 하는데, 아침상을 차리고 부르시면 자다가 잠이 덜 깨 눈을 반쯤 뜬 상태로 나와 아침을 먹는 남편을 보며 의아했던 적도 있다.

　그러나 이제는 안다.

　남편이 그렇게 밥을 먹는 건 시어머니의 사랑에 대한 '반응'이라는 것을! 정성껏 밥을 차려주고 잘 먹이는 것으로 사랑을 표현하는 시어머니에 대한 남편만의 '어머니 사랑 방법'이다. 그것을 알고 난 후로 시어머니의 사랑에 부응하지 못한 나는 시댁에 가면 죄송한 마음이 들곤 한다. 나의 원가족은 먹는 것의 선택과 시간에 자유를 주는 것으로, 남편의 원가족은 때에 맞춰 차려주는 밥상으로 사랑을 표현하신다. 사랑의 모양은 다르지만 두 가지 다 사랑이다.

 사랑의 모양과 표현은 참 다양하다.
 밥상 안에 사랑을 그려내는 나의 두 엄마들...
 사랑합니다. 💐

Chapter5
기억은 흩어지고 감정만 남아버린 시간

김향숙

이어령의 마지막 수업
이어령 / 열림원

"따르릉"

 울리는 벨소리에 깜짝깜짝 놀라게 된다. 혹시나 한국에 계신 부모님께서 아프시다는 연락이 올까? 두려운 마음이 든다. 부모님 연세도 연세지만, 앓고 계신 지병도 있기 때문이다.

 깜짝깜짝 놀라는 마음보다 나를 더 두럽게 하는 것은 종종 드리는 안부 전화에 부모님이 받지 않으시면 뭔가 불안하고 초조하며 두럽다. 혹시나 쓰러지신 건 아닐까? 하는 마음이 앞선다. 불안한 마음은 언제나 정확하게 들어맞는다.

 한국으로부터 걸려온 전화.
 아버지가 쓰러지셨다는 이야기..
 두 눈에서 눈물이 흐르고 목이 메었다.

 "아빠 괜찮으셔?"

두려움과 불안. 긴장감 없이 나의 인생을 또는 가족의 삶을 마감할 때가 되면 죽음을 어떻게 받아들이고 준비할 수 있을까? 라는 생각이 들 즈음... '이어령의 마지막수업'이라는 책을 읽게 되었다.

몇 페이지를 넘겼을까?
그 책에 이런 말이 한눈에 들어왔다.
"죽음이 무엇인지 알게 되면 삶이 무엇인지 알게 된다."
이해가 되는 듯하면서도 뭔가 철학적인 이야기인 것 같아 의미를 깊이 이해할 수는 없었다.
책을 다 읽고 나면 알 수 있으려나...

나는 죽음에 대해 생각해 본 적이 있었는지..
곰곰이 생각해 봤다.

바쁜 일상 중에 죽음은 전혀 생각해 보지 못했던 것이다.
그러니 전화벨 소리에 깜짝 늘랄 수밖에 없었다.
삶을 마감할 때 가족들이 힘들어하지 않고 당황하지 않으려면 미리미리 준비해 두어야겠다는 생각이 문득 들었다.

어릴 적에 언제나 아버지와 즐거운 대화를 나누었던 기억이 있다. 나의 시시콜콜한 질문에 아빠는 재미있다는 듯 엉뚱한 대답을 하시면서도 "아빠 행복해? 아빠는 부자야?"

"아빠는 어릴 적에 엄마가 좋았어? 아빠가 좋았어?"라는 질문에 아빠의 눈가가 붉어지며 눈물이 고이는 것을 보았다. 나는 안다. 어릴 적 할머니가 아빠와 어린 두 형제를 버리고 재산을 들고 집을 나가셨다는 과거사를 ...모른 척 재빨리 나는 이렇게 말하며 "당연히 행복하지." 나같이 귀여운 아이가 아빠 딸이니까... 그렇지? 그리고 우리들이 있으니까.. 아빠는 세상 어느 누구보다 부자야."하고 얼버무려 버렸다.

피식하고 웃으시는 아빠 얼굴에 슬픔도 함께 보였다.

나의 엉뚱한 질문 중에 "죽으면 어떻게 돼?"라는 질문에 아빠는 이렇게 대답했다.

"죽으면 다 끝이야."

"그러니까 욕심부릴 필요도 없어!"

부유하지 않아도 조금 나누며 사는 삶 불행한 유년시절 가난했지만, 행복했던 아빠의 스토리텔링은 삶이 무엇인지를 깨닫게 해 주었다.

"아빠 화장실 간다."

"응"

하고 대화는 끝이 난다.

아빠는 이런 이야기를 나눈 것을 기억하고 계실까?

한국에서 온 소식이 또 한 번 나를...울게 했다.

"요즘 아버지가 이상하셔."

"뭐가?"

새벽에 일어나셔서 우리 집이 아니라고 밖으로 나가시고 결국 집을 찾지 못해 경비실 아저씨가 모시고 왔다는 이야기와 우리 어릴적 앨범을 꺼내 두시고 벽을 보며 중얼거린다는 이야기까지.

"내일 병원에 가 봐야겠어."

"응"

목이 메어 다른 말은 하지 못 한 채 겨우 대답만 해 버렸다. 아빠의 이상 행동에 가족들 모두 당황하며 긴장하고 슬퍼했다. 처음 겪어보는 일이라 어떻게 받아들이고 대처해야 하는지를 알 수 없었다. 가족도 아버지도 인정하고 싶지 않지만 알츠하이머 초기 증세를 보이고 계셨다. 하루하루 그 증상이 심해지는가 싶더니. 바지에 실수하기를 여러 번. 성인용 기저귀를 착용해야 한다는 것에 너무도 속상하셨던 것일까? 몰래몰래 빼놓고 주무시다가 실수를 하셨는지.. 엄마는 아빠에게 화를 내신다. 어떤 날은 너무도 정상적인 일상을 보내는 아빠를 보면서 가족들은 힘들어했다. 몸도 마음도... 어쩌면 더 힘들었을.. 아버지의 마음도 모른 체 말이다.

힘든 하루하루가 지나가던 중 우리는 요양병원을 선택했다. 차선책이었다. 병원에 가는 날 아침.. "아빠 병원 가셔

야지요." 요지부동이시다. 본인도 싫으신 거다.

"아빠 좋아지시면 다시 집으로 모셔 올게요."
그제야 일어서시는 모습에 또 눈물이 났다.
병원에 가신지... 얼마나 지났을까? 10일이 넘어가고 있었
다. 하루는 아빠가 집에 가고 싶다고 이야기하셨다고 한다.
가방을 들고나가시려는 것을 요양사가 "아버님, 더 좋아지
셔야 가질 수 있어요."라는 말에 가방을 다시 넣고 침대에
누우셨다고 한다.

어느 날 어머니가 병원에 계신 아빠께 안부 전화를 하셨
던 모양이었다. 아버지께서 우시면서 말씀하셨단다.
"나 퇴원시켜주면 안 돼? 집에. 가고 싶어."
어머니도 속상하고 미안한 마음이 드셨는지. 당장 모셔오
자는 연락이 왔다. 기쁜 소식이다. 마침 아버지도 아주 조
금 증상이 좋아지시고 있었다. 섣부른 판단과 선택이 아버
지의 흩어지는 기억 속에 감정만 남게 한 것 같아 너무도
죄송한 마음이 크다.
"아버지, 죄송해요."
나는 매일매일 마음속으로 이야기하며 기도한다.
'아빠. 우리들과의 좋은 추억은 잊지 않았으면 좋겠어
요.'
그리고 내 이름도.....

Chapter6
다짐

권태남

동물농장
조지오웰 / 민음사

얼마 전 독서모임에서 나눈 책 「동물농장」이 인상 깊어 글을 남겨 본다. 예전에도 같은 책으로 독서 토론 모임을 진행한 적이 있다. 그때에는 토론 리더가 주 발제문을 만들고 토론하는 방식이었다. 최근에는 하브루타 방법으로 책을 깊이 나누는 것을 좋아한다. 모임원 모두가 질문을 만들고 서로 답하며 토론하고 논쟁하는 하브루타 방법을 통해 책을 더욱 깊이 보게 되어서 좋다. 비교 하브루타 방식으로 여러 페이지와 구성의 「동물농장」을 보며 각 작가의 생각을 알아보고 계속 나에게 질문을 던져 보았다.

 처음에 읽게 된 「동물농장」 앞표지에 조지오웰 사진이 있다.
(조지오웰/도정일 옮김/ 민음사)

조지오웰이라는 작가에 대해 궁금해졌다. 책에서 나오는 작가 소개이다.

조지 오웰 George Orwell 1903년 당시 영국의 식민지였던 인도의 뱅골 주에서 태어났다. 본명은 에릭 아서 블레어이다. 아버지는 영국 공관의 하급 공무원이었다. 두 살 되던 해에 어머니와 함께 영국으로 돌아왔고, 이튼 학교를 장학생으로 졸업했다. 대학 진학을 포기하고 버마에서 5년간 경찰로 근무했는데, 식민 관료 생활을 하면서 인간이 인간을 지배한다는 것에 강한 혐오감을 느끼게 되었다. 그 후 집을 나와 파리에서 부랑자 생활을 하다 런던 빈민가 노팅힐에서 혼자 생활하며 글을 썼다. 2차 세계 대전 직후인 1945년에는 소련의 스탈린 체제를 희화화한 「동물농장」을 발표해 작가로서의 명성을 얻었다. 그러나 그해 아내를 잃고 자신도 지병인 폐결핵이 악화되어 병원에 입원했다. 그 와중에도 작품 활동을 계속하여 전체주의를 비판한 「1984」를 출간했다. 이듬해 1950년 47세의 나이로 세상을 떠났다.

작가에 대해 궁금한 게 생겼다.

Q1. 어린 시절 조지오웰은 식민지 하급 공무원이었던 아버지를 어떻게 생각했을까?

내 생각에는 자랑스럽게는 아니어도 장학생으로 졸업했다는 건 어느 정도 순응하면서 살았을 것이다.

Q2. 식민지 관료 경찰로 일하다 부랑자 생활을 했다. 마음이 어땠을까?

시민들을 압제하는 경찰로서 사는 것보다 부랑자의 삶이 마음은 편했을 것이다. 하지만 가장으로서 한 번쯤은 후회되지 않았을까? 아내가 죽었다든지 그랬을 때. 작품을 계속할 수 있었다는 건 사명감이 있지 않았을까 싶다.

Q3. 자녀들은 부모님을 이해했을까?

어려워했을 것 같다. 사명감에 불타오르고 가난한 삶을 택한 부모가 이해되지 않았을 것 같다. 먼 훗날 존경받는 아버지를 보며 인정하게 된 것 같다.

(서울=연합뉴스) 권혜진 기자 = 미국 뉴욕 브로드웨이에서 막을 올린 '1984' 연극 무대에 원작자인 조지 오웰의 아들이 특별손님으로 등장해 화제를 모았다고 AP통신이 보도했다.
이 책이 쓰인 1949년 꼬마였던 그는 "아버지의 소설은 '무슨 일이 일어난다'는 (단정적인) 게 아니라 무슨 일이 일어날 수도 있다는 의견이었다"면서 "그러나 결과적으로는 상당한 선견지명이 있었다"고 말했다.

Q4. 작가도 아내도 오래 살지는 못했다. 아내는 남편을 이해했을까?

이해는 했겠지만 인생이 고달팠을 것이다. 생업을 도맡지 않았을까 싶다. 비판의 글은 동조자도 있지만 반대자도 있었을 터인데, 옆에서 지켜보는 이로서는 걱정이 되지 않았을까 싶다.

 두 번째로 보게 된 「동물농장」 책은 오리지널 초판본 표지디자인 책이다.

(조지오웰/이수정 옮김,/코너스톤))

책의 표지디자인이 전체 내용을 함축하고 있음을 알고 있기에 디자인을 열심히 분석해 보았다. 이 책을 읽지 않고 보았으면 더 창의적인 생각들이 들었을 것이지만 줄거리를 알고 보는 나에게 이 책의 가로 짓는 사선 위의 회색과 아래 쑥색은 무엇을 의미할까 궁금해졌다. 회색은 지배층이고 쑥색은 자연을 의미하는 동물농장이지 않을까 생각해 본다. 글씨체가 기울임이 있는 보고 있노라면 내게는 왠지 총칼의 느낌이 나에게 불편감으로 다가온다. 글자체로 하나로도 이렇게 많은 것을 담을 수 있구나 새삼스럽다. 간단한 표지 디자인이지만 주제를 온전히 표현한 듯하다.

줄거리는 아주 간단하다. 그 시대의 세태를 반영해 동물로 희화한 작품이다. 인간이 주인인 『메이너 농장』에서 돼지 메이저는 꿈꿔 왔던 이상적인 동물만의 농장 『동물농장』 유언으로 남긴다. 반란을 통해 성취한 동물농장은 자유를 누리는 것 같았으나 곧 돼지집단의 지배당하는 구조가 된다. 글을 깨치지 못한 동물들은 몰라서, 힘없는 동물들은 두려워서 그들의 소리를 내지 못한다. 돼지를 주축으로 지배 계층은 더욱 견고해지고 부와 명예를 누리려고 한다. 그러기 위해 피지배층을 더욱 착취하였다.
동물농장의 마지막 문장이다.
"그러나 누가 돼지이고 누가 인간인지, 어느 것이 어느 것이지 이미 분간할 수 없었다."

상담가이며 하브루타 강사인 나는 이 책을 깊이 보고 계속 내게 질문하면서 이 책을 보았다. 특히, 새로운 주인공의 이름이 나올 때마다 메모하며, 내가 만약 ○○○라면 이 상황에 어떻게 했을까? 계속 생각했다. 내가 지배층이었다면 누리고 싶었을 것이고 내가 피지배층이라면 주인공들과 비슷하게 행동했을 것이다. 무지하거나 용기 내지 못하거나.

Q5. 집권한 나폴레옹이 나쁠까? 그의 대변가 스퀼러가 더 나쁠까?

Q6. "내가 더 열심히 한다." "나폴레옹은 옳다"라며
    모든 어려운 일에 최선을 다한 복서는 어떤 잘못을 했을까?

Q7. 동물들은 스퀼러의 설득에 설득당한 걸까?
    포기하고 설득당하고 싶었을까?

 마지막, 3번째 동물농장책은 원본의 내용을
해석해서 일러스트 작가가 그린 책이다.
(조지오웰지/랠프 스테드먼 그림/ Mariner Books Classics)

내가 상상한 것보다 더 날카롭게 그려주어서 통쾌했다. 인간 조지가 사용한 도구들, 풍차를 만들기 위해 고민하는 이상주의 스노볼, 두 발로 걷는 돼지들. 일러스트 작가가 얼마나 책을 곱씹었을까 예상이 되었다. 나도 이런 독자가 되고 싶고, 이런 나눔을 가지고 싶다.

동물농장이라는 책은 구 소련 스탈린 체제를 비판한 글이다. 지금을 살고 있는 나에게 다가오는 질문은 '그럼 나는 어떻게 살 것인가?'이다.

나는 민주주의와 자본주의 사회를 살아가고 있다.

민주주의: 국민이 권력을 가짐과 동시에 스스로 권리를 행사하는 정치 형태 (옥스퍼드)
자본주의: 사유재산제에 바탕을 두고 이윤 획득을 위해 상품의 생산과 소비가 이루어지는 경제체제 (두산백과)

　우리나라는 경제력과 직업 등으로 여러 계층이 나눠져 있을 때가 많다. 나는 누구의 지배층이 될 수 있나 생각해 본다. 나는 가정에서는 아내, 엄마이고, 일하는 곳에서는 강사, 상담가이고 나이에 의해 연장자이거나 리더일 때가 많다. 그럴 때 나는 어떤 태도를 보이는가. 특권 의식이 있나 점검해 본다. 그러면서 마지막으로 그럼 내가 할 수 있는 마음가짐은 무엇일까? 초심이다. 원래의 마음을 잊지 않는 것이다. 나의 남편, 자녀들을 사랑하고 학생들, 내담자들을 사랑하고 젊은이와 팀원들을 존중하는 태도를 잃지 않아야겠다. 순간순간 되짚어보며 살아야겠다고 다짐해 본다. 물론 내가 피지배층일 때도 많다. 많은 을의 순간들. 그럴 때 나는 어떻게 할까 생각해 본다. 먼저, 믿음으로 두려움을 물리칠 것이다. 그 후에 내가 해야 하는 일들을 해나갈 것이다. 상담가로서 충분히 수용하고 공감하며 경청하는 것, 강사로서는 제대로 가르치기 위해 늘 공부하며 나를 되돌아볼 것이다. 그리고 현장을 꿋꿋이 지키며, 무례히 행하지 않으면서 적절한 때에 사랑을 베풀 줄 아는 작은 시민이 되도록 노력하고 싶다. ♥

Chapter7
무례하지 않게 사는 법

박진영

무례한 사람에게 웃으며 대처하는 법
정문정/ 포레스트 북스

아이들의 문제집을 사기 위해 서점에 갔다가 제목만 보고는 마음에 들어 계획 없이 지출한 책이 한 권 있다.

"무례한 사람에게 웃으며 대처하는 법"
이 책의 표지에는 더욱 마음에 드는 문구가 있었다. '인생 자체는 긍정적으로 개소리에는 단호하게'.. 이 책이 마음에 들었던 것은 아마도 이 책을 보던 그 시기에 많은 무례함 속에 자존감이 바닥을 치며, 내 삶의 방향이 폭풍 앞에 등불처럼 흔들렸기 때문이 아닐까 싶다.

2013년에 처음으로 서울을 떠나 낯선 경상도와 전라도가 30분 거리인 곳에서 살다 더욱 서울과 멀어진 경상남도의 어느 동네까지 내려오던 그때. 무던한 줄 만 알았던 내 성격은 그동안 무던했던 것이 아닌 마냥 허허실실 참고 있었다는 것을 깨달으며, 거름망 없는 대화, 뒤끝 없는 성격들이 있다는 경상도에서 참다 참다 참나무는 되지 않고 나

무껍질처럼 울퉁불퉁 갈라진 마음을 붙잡으려 애쓰던 때였다. 아무리 뒤끝이 없는 당신이라지만, 저는 사실 뒤끝이 아주 긴 사람입니다. 이 이야기를 '잘' 알려줄 수 있는 방법이 없을까?라는 질문의 해답을 찾아보고 싶었다.

'화내거나 울지 않고도 나의 입장을 관철하는 방법. 무례한 사람을 만나도 기죽지 않고 웃으면서 우아하게 경고할수 있는 방법. 무례한 사람들 사이에서 보다 우아한 나를 찾고 싶어 그 실질적인 도움을 얻고자' 책을 열어보았다. (프롤로그 중 인용)

그러나 책을 다 읽기도 전에 나는 내가 이 필자에게 보이는 무례한 사람들 중 하나가 아닌가를 고민하게 되었다.

딸아이에게 반복해서 하는 잔소리가 있다.
"다른 사람에게 예의 있게 대했으면 좋겠어."
"나는 네가 예의 있는 사람이었으면 좋겠어."
라는 말이다.

아이에게 나의 삶의 방향을 억지로 강요하지 않아야 하겠지만, 사람이 살아가면서 사람에 대한 존중은 반드시 필요하고, 그 존중을 표현하는 방법이 예의 있는 행동이라고 생각한다. 때문에 나는 아마도 아이에게 계속 그렇게 이야기하지 않을까 싶다. 아이가 세상을 살아가면서 자신과 타인을 존중하며 살아갔으면 좋겠는 엄마의 작은 바람이라고 할까… 딸아이에게 강조하는 예의 있는 모습을 뒤로하고 오늘 아침에는 딸아이와 신경전을 벌이다가 기어코 딸을 울렸다.

학교 가기 전에 벌어진 상황에 벌게진 얼굴을 어찌할 바 모르는 딸을 아이스크림으로 가라앉히고는 학교를 보냈다. 그리고는 나의 행동을 곱씹으며 나는 딸아이에게 무례한 사람이 된 거 같다는 생각이 들었다.

사건의 시작은 바지였다. 아침에 습관처럼 '구글'이에게 물어보는 하루 기온이 최고온도가 27도에 날씨가 흐리다는 답을 들은 딸아이가 따뜻하게 옷을 입고 싶어 했다. 바지를 찾아달라는 말에 까만색에 얇은 천을 가진 바지를 찾아주었다. 찾아준 바지를 입어 본 딸은 바지에 주머니가 없고, 너무 달라붙고…. 기타 등등의 불평과 불만을 계속했다. 다른 바지는 빨아둔 게 없다는 대답을 하고는 나도 귀를 닫았다.

아침식사를 준비하는 분주함에 알아서 입겠지 하고는 짜증 가득하게 느껴지는 아이의 말에 귀 기울이지 않은 것이다. 자신의 의견이 전달되지 않은 듯 느껴졌는지 딸아이는 밥 앞에서도 불평과 불만을 계속하고 동생들의 말에도 부정적인 반응으로 본인의 불편한 감정을 무례하게 토해내고 있었다. 그런 딸을 보며, 내 안에서 화가 차곡차곡 쌓였다. 딸아이는 더 이상 엄마하고의 씨름이 안 되겠는지 같은 패턴으로 아빠에게 가서 자신의 불평을 계속 토해냈다. 아빠는 차분하게 다독였지만 딸아이의 불편함을 정리되지 않았다. 그도 그럴 것이 딸아이의 불편함은 엄마와의 감정적 교류가 원활하지 않은 부분에서 비롯된 것이니 아빠하고의 소통은 위로될지 언정 해결은 되지 않은 것이다.

아이에게 반복하며 이야기하던 예의 있는 행동. 무례하지 않는 소통, 존중의 모습을 오늘 아침 나도 보이지 못하고, 결국 나의 감정과 딸아이의 감정이 부딪혀 아이의 눈물로 마무리되었다.

앞서 이야기했던 '화내거나 울지 않고도 나의 입장을 관철하는 방법. 무례한 사람을 만나도 기죽지 않고 웃으면서 우아하게 경고할 수 있는 방법. 무례한 사람들 사이에서 보다 우아한 나를 찾는 방법.'을 아이에게도 제대로 알려주지 못한 거였다. 책 222페이지(페이지 수가 마음에 든다.)에서 무례한 사람을 만날 때 피하는 것이 능사가 아니라 나만의 대처법이 있어야 한다고 글쓴이는 말하고 있다. 내가 내 딸아이에게 가르치고 훈련시켜야 할 것은 피하지 않고 대처할 수 있는 방법이다. 엄마와의 대화에서 울어버리고 터져버리는 것으로 해결되지 않는 상황들을 마음속에 쌓아놓지 않고 적어도 딸아이가 느끼는 부당함은 더는 없도록 하는 방법이다. 이런 방법들을 어디에서 배울 수 있겠는가. 가정 이 아닌 사회라는 실전에서 사람들과 끊임없이 부딪히고 관계하며, 무례함을 견뎌야 하는데, 무례를 당하는 상황을 꾹꾹 눌러 담다가 해소되지 않는 감정이 화산 터지듯 터져버려 문제나 상황은 해결되지 않고 터트린 당사자만 이상한 사람이 될 수 있는 여지를 조금이라도 줄여줄 수 있다면, 나는 더 열심히 가정 안에서 딸아이와(또 우리 아들들과) 여러 가지 갈등을 가지고 서로를 존중하고 무례를 대처할 수 있는 방법을 배우고 기르도록 돕고 싶다.

책에서는 무례한 사람과 대면했을 때의 대응법에 대해 이렇게 설명하고 있다. 첫 번째는 문제가 되는 발언을 상기시키되 감정을 싣지 않고 최대한 건조하게 말하기. 두 번째는 되물어서 상황을 객관화시키기. 세 번째는 상대가 사용한 부적절한 단어를 그대로 되돌려주기. 네번째는 무성의하게 반응하기. 다섯 번째는 유머러스하게 대답하기. 이 방법은 글쓴이가 말하는 '나만의 대처법'이다. 그렇다면 이런 대처법을 교재 삼아 나와 나의 아이들도 '나만의 대처법'을 세워봐야 할 것이다.
'갑자기 선을 훅 넘는 사람들에게 감정의 동요 없이 "금 밟으셨어요" 하고 알려줄 방법은 없을까?' 이 방법을 실전에서 제대로 사용하려면 꽤 많은 연습이 필요하다고 필자는 이야기하고 있다. 나와 우리 아이의 삶을 향한 에너지가 불 필요하게 소모되지 않도록, 오해받지 않고 이기적이지 않게속 마음을 이야기하며, 무례함을 단호하게 끊어낼 수 있는 훈련은 어쩌면 내가 내 아이들과 함께하는 시간을 외면하지 않고 끊임없이 소통하며, 그 안에서 흐르는 갈등들을 풀어내는 노력에서 나오지 않을까.

 학교에서 돌아온 딸아이가 손을 씻고 나왔다. 이미 아이가 오기 전 아빠하고 이야기를 나누었다. 아이가 돌아오면 내가 먼저 강하게 이야기해서 미안했다고 말하겠다고. 그런 나의 다짐을 실천했고, 딸아이는 "엄마. 내가 먼저 화내고 짜증내서 미안해." 라며 사과로 답했다. 우리는 불편한 상황에서의 첫 번째 대처법으로 감정을 싣지 않는 말하기를 세우며, 자기감정에만 치우치는 화법으로 대화하지 말자고 이야기를 마무리하였다.

 아마 이후에도 나와 딸아이는 서로에게 무례한 언행을 할 수 있을 것이다. 그러나 우리는 서로를 위해 대처법을 만들어가며, 감정을 싣지 않고 상대방의 잘못만으로 치부하지 않으며, 서로를 존중하기 위해 애쓸 것이다.

'살다 보면 무례한 사람을 만나기 마련이다.' 이 구절에 매우 동의하며, 저마다의 대처법을 만들 때 사람에 대한 존중이 결여되지 않기를 바라본다.

Chapter 8
아버지의 거미줄

김정자

샬롯의 거미줄
엘윈 브룩스 화이트 / 시공주니어

집으로 가는 버스 창문 안팎으로 쏟아지는 꽃잎을 따라 아버지가 그리워 잠시 생각에 잠깁니다.

문득 '샬롯의 거미줄'이라는 책이 떠올라, 책꽂이에서 꺼내봅니다. 여전히 아버지를 생각함이 저에게는 아픔이어서. 한 장 한 장 책장을 넘기며 샬롯에게서 아버지의 흔적을 찾고 추억이 떠올라 잠시 멈추고 책장은 또 넘어갑니다.

어둠 속에서 한 번도 들어 본 적 없는 목소리가 들려온 것이다. "친구를 원하니 윌버? 내가 네 친구가 되어 줄게...... 내 이름은 샬롯이야. 샬롯 A. 카바티카. 그냥 샬롯이라고 불러."

아버지와 나도 그 시작이, 내가 그의 목소리를 듣는 것에서부터 시작되었을 것이다. 나의 이름을 짓고 불러 주던 그 처음 어느 날로부터...... 그의 이름을 알지만 이름 대신

'아부지'라고 부르던 수많은 날들. 그리고 내가 그를 아버지라 부르며 목구멍을 억지로 열어 '안녕'을 끄집어내고, 꼭 다시 만나자고 약속한 그날이 우리의 마지막이 되었다. 윌버가 물었다 "왜 보지 못하는 거야? 난 바로 여기 있는데." 샬롯이 대답했다. "그래. 하지만 난 근시거든. 난 원래부터 지독한 근시였어. 좋은 점도 있고 나쁜 점도 있고 그래." 시간이 지나면서 윌버는 샬롯을 오해했다는 것을 깨닫게 되었다. 겉보기에 샬롯은 뻔뻔스럽고 잔인해 보이지만 친절한 마음씨를 갖고 있었다. 그리고 끝까지 의리를 지켰고 믿음을 저버리지 않았다. 샬롯은 거미줄에 걸터앉아 앞날을 생각하고 있었다. 잠시 후 샬롯은 다시 분발했다. ...... 다른 가축들이 졸고 있는 동안에 천천히, 꾸준히 작업을 했다. 윌버는 부드러운 잠자리에 푸욱 파묻혀서 잠들어 있었다.

어릴 때 아버지는 너무 구식이었고 답답했고 호통만 치는, 안 통하는 우리 사이 그 자체였다. 나는 안전함과 평온함 속에서 오래 지켜본 후에야 알게 되었다. 아... 불쌍한 우리 아버지, 그는 나에게 있어 그의 부모님이 불러 주시던 자신의 이름을 버린, 아버지 그 자체였다는 것을.

"'대단한 돼지'라고 너무나 또렷하게 씌어 있었어...
우리 농장에 기적이 일어났어."

"내가 보기엔 당신이 좀 틀린 것 같네요. 우리 거미가 보통이 넘는 것 같은데요."

"아니야. 특별한 건 돼지라고. 바로 거기 거미줄 한가운데에 그렇게 씌어 있었어."

"그건 그냥 평범한 회색 거미라고."

샬롯은 자신이 한 일이 효과가 있어서 기뻤다. 작은 파리 한 마리가 거미줄의 '돼지'라고 쓰인 글자 바로 위에 걸려들었을 때, 샬롯은 재빨리 내려가 파리를 돌돌 말아 올려서 그 자리에서 치워 버렸다.

"하지만 나는 근사하지 않아. 샬롯. 난 그냥 보통 돼지야." "나한테는 네가 근사한 돼지야. 바로 그게 중요한 거야……"

샬롯을 꼭 닮은 우리의 아버지들은 자식의 이름과 그 한 일에 대해 현수막을 동네 어귀에 건다. 내 아버지는 그의 입술을 열어 나를 동네에 자랑하시며 기뻐하셨다. 그는 손발이 다 닳도록 고생을 하셨다. 내가 보기에 나는 그저 '무녀리 돼지'에 불과했는데 말이다.

샬롯은 거미줄 짜는 것을 아주 좋아했다. 그리고 전문가였다.

"이제는 '해'자의 'ㅐ'부분을 써야 하니까 바깥쪽으로 나와서, 내려와서! 풀어준다! 됐어! 붙인다! 위로 올라가!

반복하고! 잘했어!”

이렇게 혼잣말을 하며 샬롯은 힘든 일을 해냈다. 글자가 완성되자 샬롯은 허기를 느꼈다. 그러고는 잠이 들었다... 그 돼지 위로 굵은 글씨체로 깔끔하게 짜여진 ‘근사해’라는 글자가 있었다.

아버지는 모든 것에 전문가였다. 떨어진 신발은 고쳐지고, 없던 빗자루도 생기고, 낡은 것은 더 낡아져도 멀쩡하게 되었다. 우리 집 장독 옆 작은 꽃밭도 아버지의 솜씨였다. 농사...에 관한 모든 것에 전문가였다. 어떻게 내 아버지는 전문가가 될 수 있었을까? 내 아버지가 다 해 준 것들을 남편은 잘하지 못한다. 하지만 내 딸아이에게 남편은 아버지라는 이름으로 불리고 딸에게는 정말 그렇다.

아... 오늘은 그만 보려고 합니다. 다음 장을 보니 미뤄야겠습니다. 오늘은 이만큼만 아버지를 만나고 일상으로 돌아가야겠습니다.

4월 아버지의 기일이 지나고 연분홍 꽃바람은 어느새 흔적도 없이... 사라졌습니다. 딸아이가 글쓰기 다 했냐고 재촉을 합니다. 속도 모르면서... 미루면 안 된다고 잔소리가 심해집니다. 마감 날짜만이 저를 움직이게 하려나 봅니다. 병원 면회를 가면 아버지는 언제부턴가 자주 ‘나는 꿈속

에서 훠얼훠얼 난다. 하늘을 날고 산에 가서 일도 하고 꼴
도 베고 마음대로 걸어 다니고 쫓아다닌다. 가고 싶은 곳
다 가봤다'고 꿈 얘기를 하시는데 아버지는 자신의 손으
로 돌 하나 흙 하나 풀하나 덜어내고 쌓아 올린 산비탈밭
을 제일 많이 가시고 거기서 일을 하셨다고 좋아하셨습니
다. 이제 시골집에서 올려다보면 말간 산비탈 밭에서 허리
굽혀 일하시던 아버지의 모습은 보이지 않고, 크게 우거진
풀과 작은 나무들만이 가득합니다.

가을이 오는 소리

귀뚜라미들이 풀숲에서 노래했다. 샬롯은 그 노랫소리를
듣고 자신에게 시간이 얼마 남지 않았음을 알았다.
"여름은 끝이 나서 가 버렸다네. 서리가 내리려면 이제 몇
밤이나 남았나? 안녕, 여름이여, 안녕, 아 안녕!"
샬롯의 거미줄에 '대단한 돼지'라고 씌었을 때는 대단
한 돼지처럼 보이려고 열심히 노력했다. 이제 그 거미줄에
'눈부신'이라고 씌어 있으므로 윌버는 눈부시게 보이려
고 할 수 있는 일은 다 했다. 윌버는 눈부신 것 같았고 행
복했다. 샬롯이 말했다.
"요즘에는 아주 사소한 일에도 쉽게 피곤해져. 예전처
럼 힘이 나지 않아. 나이가 들었나 봐."
샬롯은 너무 조용했다. 여덟 개의 다리는 넓게 뻗어 있었
다. 밤새 몸이 줄어든 것처럼 보였다.

"난 '필생의 역작'이 뭔지 몰라."

샬롯이 설명했다.

"좀 어려운 말이지. '위대한 작품'이란 뜻이야. 이 알 주머니는 내가 만든 위대한 작품이거든. 내가 만든 것 중에서 가장 훌륭한 거야." "'쇠약해진다'는 게 무슨 뜻인데?"

"그건 내가 동작도 느리고 내 나이도 느낀다는 뜻이야. 난 이제 젊지 않아, 하지만 네가 나 때문에 걱정하지 않았으면 해. 오늘은 너한테 중요한 날이잖아."

아버지가 젊은 농부였을 때, 새벽녘 논둑에서 미끄러져 다친 다리가 신경통이 되어 온몸을 들쑤셔 놓고 걷지 못하게 되던 그날로부터 우리 마음에서는 시작된 슬픔이었으리라. 아버지 입술의 자랑이 되려고 애쓴 날들, 나는 그런 행복한 사람이 되었다. 오랜 병원생활로 외롭고 쇠약하고 작아진 몸과 더욱 굳어진 다리, 그로 인해 자식들이 걱정할까 염려하시고 언제나 전화 끝에는 '고맙다'는 말을 잊지 않으시던 아버지. 그런 그가 자신과 바꾼 이 모든 것의 결과는 바로 우리였다. 필생의 역작! 을 남긴 자식농사 전문가, 내 아버지시다.

샬롯을 두고 가는 길

"내 말 좀 들어봐! 샬롯이 몹시 아파. 아주 조금밖에는

살수가 없어. 상태가 안 좋아서 우리랑 같이 집에 갈 수
가 없어. 제발, 제발, 제발."

그리고 다시 움직이지 않았다. 샬롯은 죽었다. 가설 지붕
과 건물들은 텅 비었고 쓸쓸하게 변했다. 어느 누구도 회색
거미 한 마리가 큰일을 해냈다는 것을 알지 못했다. 그 거
미가 죽을 때 아무도 함께 있어 주지 않았다. 윌버는 종종
샬롯을 생각했다. 문간에는 샬롯의 낡은 거미줄이 여전히
몇 가닥 걸려 있었다. 윌버는 날마다 서서 그 찢어지고 텅
빈 거미줄을 바라보곤 했다. 슬픔이 목구멍까지 치솟았다.
아무도 그런 친구는 사귀지 못했을 것이다. 그렇게도 다정
하고, 그렇게도 충실하고, 그렇게도 재주 많은 친구는......

"언니야. 아버지가 호흡이 안 좋아서 큰 병원으로 가고 있
어." 언제든지 제일 먼저 아버지 곁에 달려가는 내 동생의
전화였다. 가쁜 호흡을 내쉬면서도 아버지의 괜찮다는 영
상. 그 순간들이 동생에게는 걱정과 두려움으로 엄습하였
을 테고, 염려할 우리 형제들을 위한 아버지의 마음을 찍어
보낸 동생의 배려였을 테다. 좋아져서 다시 볼 수 있다는
생각은 순식간에 사라지고 제발 제발 제발 하던 바람도...
코로나로 인해 겨우 연결된 영상통화로 우리는 마지막 아
버지의 호흡을 보았고 자식들의 마지막 음성을 들은 아버
지는... 아버지는 그렇게 우리랑 같이 시골집이 아닌 그의

부모님이 계신 곳으로 가셨다.

 나는 애써서 아버지를 생각하지 않았다. 자려다 문득 생
각나면 끊어지지 않는 그리움에 미안함이 배가되어 끝내 가슴
을 할퀴며 손으로 이불을 내리쳤다. 숨을 쉴 수 없어서...
이러다 큰일 나겠다는 두려움에 피하였다. 언제부턴가는
문득 혼자 일상 중에 떠올려 보게 되었다. 여전히 영상
속의 아 버지는 그저 우리 옆에서 그대로 웃고 먹고 말하
고 계신데, 현실을 인식하게 되면 또 가슴에서 알 수 없
는 덩어리가 훅하고 올라와 숨구멍을 막았다.

 걷고 싶고 뛰고 싶고 날고 싶다고 하시던 아버지가, 벚
꽃잎을 따라 춤을 추며 그렇게 '휘얼휘얼' 홀로 가시던
그날이 떠오를 때면 울음도 나고 기쁘고도... 아픕니다.
아버지가 너무 그립고, 그가 맛있다던 단팥빵 드시는 것
이 보고 싶어지는 날이면, 후드득 떨어지는 눈물과 목구
멍이 따끔거리는 시간을 지나가야 합니다.

 아버지는 농부였습니다.
 낡고 해진 지게를 지겟작대기 하나와 자신의 무릎에 의
지하여 우리를 키우셨습니다. 마음이 가난한 농부, 몸이

닳고 부서진 농부, 억센 경상도 사투리에 무뚝뚝한 농부 아버지, 사랑이 많아서... 고맙다는 말에 담아 우리에게 나눠 주시던 아버지. 형제들이 모여 그 그리움의 조각들을 맞추는 날에는 웃음과 눈물과 처음 알게 된 각자의 추억 이야기가 새로워, 어느새 푸른 새벽이 됩니다.

우리는 또 우리 삶을 살아갈 텐데...
 아버지... 우리 아버지...
 '당신이 있어서 우리가 태어나고 사랑하고 행복합니다.
 고맙습니다.'

Chapter9
달리기

이규진

전략가 잡초
이나가키 히데히로 / 더숲

어느 날, 제 손목에서 힘찬 소리가 울렸습니다. "삼, 이, 일!" 그 순간, 저도 모르게 달리기 여정이 시작되었습니다. 얼마 전에 구매한 스마트 워치에서 난 소리였습니다. 그날은 코로나로 인해 세상이 멈춘 듯한 시기였지만, 그날의 공기는 평소와는 다른 특별한 느낌이었습니다. 코로나 이후 봄마다 찾아오던 미세먼지가 사라지고, 맑은 공기가 세상을 가득 채웠습니다. 집 앞 산책로를 거닐다가 저는 무심코 스마트 워치의 앱을 실행했습니다.

처음 달리기를 시작했을 때의 기억은 참으로 고통스러웠습니다. 숨이 턱 끝까지 차오르고, 무릎은 쑤셨으며, 발바닥은 불타오르는 듯 아팠습니다. 그러나 쉽게 포기하는 사람이 되고 싶지 않았고, 꾸준한 사람이 되고 싶었습니다. 그래서 오래 달리기를 하기 위해 저만의 규칙을 만들어 보았습니다. 무리함 없이 꾸준히 평생을 달리자고요. 왜냐하면

한 번에 빠르게 멀리 달린 다음 날엔 어김없이 달리기가 싫어졌기 때문입니다. 그렇게 하루하루 달리기를 시작한 지 어느덧 4년이 넘고, 총 4천 km가 넘는 거리를 달렸습니다.

달리기를 하며 몇 가지 중요한 깨달음을 얻었습니다. 옆에서 빨리 달리는 사람들을 보면 부러울 때가 있나요? 솔직히 말해 저는 많이 부러웠습니다. 얼마 전 한 부부가 여유롭게 달리는 모습을 봤는데, 그들은 힘들지 않아 보였고 대화를 나누며 달리는 모습은 마치 영화 한 장면 같았습니다. 날씬하고 날렵한 다리를 가진 그들을 보며 얼마나 부러웠던지요. 하지만 어느 순간 그 부러움에 사로잡혀 저 자신을 탓하기 시작했습니다. "왜 저는 저렇게 잘 달리지 못할까?"라며 스스로를 비난하게 되었습니다. 그 결과, 달리기가 재미없어졌었습니다. 그러던 어느 날 문득 깨달았습니다. 부러워하면 뭐 합니까? 저는 저만의 속도로 꾸준히 달리면 되는 거 아니겠습니까? 그렇게 저는 작은 깨달음을 얻었습니다. 내가 할 수 있는 작은 일이라도 꾸준히 해야겠다고 다짐했습니다.

또, 달리기를 하면서 저는 다양한 사람들을 만났습니다. 그들은 각자의 속도와 방식으로 달리고 있었습니다. 어떤

이는 마라톤 선수처럼 빠르고 강하게 달렸고, 어떤 이는 천천히 그러나 꾸준히 달렸습니다. 그들의 모습을 보며 저는 나의 속도와 방식으로 나이 들어도 달려야겠다고 결심했습니다. 어느 날, 길을 달리며 처음 달리기를 시작했던 그날을 떠올렸습니다. 그때는 모든 게 낯설고 두려웠지만 지금은 달리기가 저의 삶의 일부가 되었습니다. 달리기를 하며 저는 자신과 대화하는 시간을 가졌고, 저의 속도와 리듬에 맞춰 달리면서, 저는 자신을 이해하고 한계를 조금씩 극복해 나갔습니다. 달리기는 단순한 운동 이상의 의미였고, 자신을 발견하는 과정이었습니다.

남을 부러워하지 말고, 나 자신이 할 수 있는 것을 하세요. 빨리 달리는 것이 중요한 게 아니라, 자신만의 속도로 꾸준히 달리세요. 지금 걸어가지 말고 살살 달려보는 것은 어떠신가요?

지금 하는 일이 힘든가요? 멈추고 싶나요? 저는 쉬지 않고 일해야만 한다고 생각했을 때, 처음 달리기를 시작했을 때 그랬습니다. 호수 공원에서 힘들 정도로 힘들었지만 참고 참아 완주하는 데 집중했습니다. 그러나 48개월 이상 (780회 이상) 달린 지금, 그 생각이 틀렸음을 깨달았습니다. 힘들면 잠시 쉬었다가 다시 달리면 참고 참는 것보다 더 편안하게, 더 오래, 더 잘 달릴 수 있다는 것을 알게 되었습니다. 5km를 달릴 때도 힘들지 않게 1.5km씩 혹은 2km씩 나누어 달리면 됩니다. 힘들 때는 잠시 쉬는 것이 중요합니다. 사람들은 휴식과 재충전의 기회가 필요합니다. 인생은 긴 여정입니다. 도박처럼 단기적으로 하지 않습니다. 우리는 각자의 속도와 방식으로 긴 여정을 걸어가고 있습니다. 그 여정에서 중요한 것은 속도나 거리보다 얼마나 꾸준히 걸어가느냐입니다.

요즘 자주 힘들다는 생각을 하게 됩니다. 그럴 때마다 저는 아침에 일어나 다시 달리러 갑니다. 달리기는 저에게 단순한 운동 이상의 의미이기 때문입니다. 달리기는 자신을 발견하고, 자신과 대화하는 시간입니다. 그 시간을 통해 저는 자신을 더 잘 이해하게 되었고, 저의 삶을 살아가는 활기찬 긍정의 힘을 얻게 되었습니다. 그래서 저는 오늘도, 내일도, 계속해서 달릴 것입니다. 저의 속도로, 저의 방식으로, 저만의 길을 달려가며.

달리기는 나 자신과
대화하는 시간입니다

Chapter 10
이대로만 있어줘요

김옥남

치매를 이겨낸 사람들의 이야기
김시효 / 공감

"여기가 어디야?"

2021년 11월 어느 날, 평소에 하지 않던 낮잠을 주무시고 방을 나오며 하시는 말씀.

"화순 우리 집이요." "우리 집이라니? 그런데 광주 아니고 내가 왜 여기 있지?"

"2019년 어머니 돌아가신 후 이곳으로 오셨잖아요. 벌써 3년 되었는데요."

느닷없는 지아비의 말씀에 갑자기 가슴이 철렁 내려앉는다. 코로나 백신 2차 접종 그 후로 공간 개념과 숫자 개념이 약해지신다. 시계 보는 것, 날짜 계산하는 것에 짜증을 내시며 바로 말을 해달라고 한다. 지남력 장애, 경도 인지 장애가 오신 것이다. 24시간 함께 하는 시간이 시작되었다. 설거지는 신혼 때부터 도맡아 해 주셨는데 하기 싫어하신다. 아무것도 안 하시려 한다. 치매 초기 증세가 시작된 건 아닐까 염려된다. 급히 책장에 건강 관련 책 중 치매에 관련된 책이 있는지 찾는다. 3권이 보인다. 그중 최근의 책을 집어든다. <치매를 이겨낸 사람들의 이야기(김시효. 공감) > 가장 눈에 띄는 변화는 하루에 1병씩 드시던 물을 먹기 싫어하신다는 것.

우울증도 오신 것 같다. 화순으로 오신 후 코로나가 생기고 광주제일교회에 나가지 않으시며 사람들과 접촉이 없으니 그런 것일까? 아니면 2021년 일 년 동안 두통으로 힘들어하는 나를 데리고 만연산 정자 옆 편백나무숲에 데리고 다니시며 극진한 간호를 하다가 스트레스가 쌓여 그런 걸까? 여러 가지 생각이 앞선다.

2019년 시모님 돌아가시고 눈가로 대상포진이 지아비에게 왔었다. 그때 캐비쵸크 4종 세트를 아침저녁으로 드시게 하여 나으신 적이 있다. 바로 독일 Venustars 회사의 Francesco Nar 대표님과 연락하여 캐비쵸크 4종 셋트를 복용하기로 하였다.

2020년 내가 두통과 어지러움증으로 인해 두 번 쓰러지고 이비인후과약을 먹어도 듣지 않는다. HOME에서 하던 Art Therapy 강의는 7회기 중 4회기를 하고 중단하였다. 머릿속은 깊은 안갯속을 걷는 기분이 계속되어 가게 된 신경과에서 내린 결론은 오랜 스트레스로 인한 신경쇠약증이란

다. 3년간 약을 복용해야 한다는데 그 약을 복용하면 치매에 걸리기 쉽다고들 한다. 그래서 약은 안 먹고 캐비쵸크 4종세트로 치료했다.

일 년간 복용한 내가 좀 나아지니 2021년 연말에 지아비에게 찾아온 경도인지장애라 앞이 아찔해진다. 정신이 바짝 든다.

히즈대 총장님이 강의 때 하시던 말씀이 생각난다. 환자가 가장 편한 곳으로 데리고 가는 것이 가장 회복이 빠르더라는 본인의 남편 유목사님이 치유되던 과정을 설명해 주셨던 게 기억이 났다. 지아비가 가장 좋아하던 곳은 본인이 자라던 고향이라는 생각이 스친다.

2022년 1월부터 점심 이후 시댁 동네가 있던 북구 용두동으로 가서 함께 걷기를 시작하였다. 고향에 가니 표정이 한층 밝아지신다. 이 동네에서 우리 할아버지 땅을 밟지 않고 지나가지 못했다며 지주 손자로서의 자부심을 드러낸다. 하루하루 동네 여기저기를 걷는다. 손을 잡고 걷는 늙은 소년 소녀의 모습이다. 동네는 아파트를 짓는다고 여러 집이 팔려나가 주인 없는 집이 여러 채가 있었다. 5월이 되니 더워지기 시작한다. 이제는 덥다며 고향에 고향에 안 와도 된다고 한다. 단기 기억력은 갈수록 희미해지신다. 본인도 숫자 개념이 약해진 것을 느끼셨는지 본인의 통장을 모두 주신다. 신협에 있는 것 찾아서 교원공제회에 들었다. 한쪽 문이 닫히면 한쪽 문이 열린다는 말이 있다. 결혼 후 40여 년만에 남편의 통장을 내가 관리하게 된다.

갈수록 똑같은 질문을 여러 번 하신다. 금방 금방 잊어버리신다. 책에서 본 대로 사람들과 함께 어울리는 방법을 택한다. 2023년 1월 동서여행사를 운영했던 일고 동창이 하는 참조은힐링여행팀에 들어간다. 한 달에 한 번씩 국내여행을 하는 팀이다. 남자동창들만의 모임이나 나는 특별회원이 되어 같이 참석하기로 한다. 3월이 되니 친구분이 '처음엔 말도 하지 않더니 이젠 말도 한다.'고 한다. 6월쯤 둘이서 정식 회원으로 가입하게 된다. 지금도 즐겁게 한 달마다 여행을 한다. 감사한 일이다.

2023년 6월에 일본에 있던 아들이 런던으로 새 둥지를 옮긴단다. 대학 3학년 때 교환학생으로 일 년간 일본에 다녀온 뒤 한국에서 대학 졸업하고 다시 유학을 갔다. 대학 2학년때부터 아르바이트하여 천이백만 원 벌었으니 이젠 앞으로 학비 안 보내도 된다며 자립하겠다던 아들이다. 일본인에게 무시받던 조센징이 17년간 살며 일본 맨 땅에 헤딩하여 본인이 원하던 성공한 포토그래퍼로서의 안정된 삶을 버리고 더 넓은 곳에서 시작하고 싶단다. "도전하는 것 엄마에게 배웠어요."한다. 하기야 현직에 있으면서 60세 환갑 때에 미국 내 유일한 '가정사역'이라는 학과가 있는 히즈대에 상담 공부를 하기 위해 박사 공부하러 간 엄마였으니 그 엄마에 그 아들이리라.

2011년 1월 그때 비행기를 기다리며 인천공항에서 쪼그려 앉아 있으니 아들에게 보낸 문자가 생각난다.
『아들아! 엄마는 아무것도 돈도 준비 안 된 상태에서
 도전하기로 했다. 도전 안 하고 후회하느니 도전
 해보고 후회하기로 했다.』

그 후 10년간을 일 년에 2번씩 방학 때마다 인텐시브과정으로 미국 캘리포니아 주립대인 히즈대에 드나들었다. 2014년 1월에 박사 학위 받고 2020년 8월까지 헌신하며 학생들을 가르쳤다. 그러다가 2020년 10월 학교가 미연방정부 승인이 난 후 여러 가지 학교 사정으로 그만두게 되었다. 그로 인해 스트레스가 쌓이고 아프고 만 것이다. 세상사 헛되고 헛됨을 배우게 된다.

2023년 6월 아들이 "이젠 일본을 떠나게 되니 런던으로 가기 전 여행 오세요."라고 말한다. 여행은 누구와 함께 가느냐가 중요하다. 93세 친정 올케랑 조카 2명과 지아비와 나 6명이 6월 5일 ~8일까지 3박 4일 일본 여행을 갔다.

아들이 봉고차를 빌려 운전하며 즐거운 시간을 보내고 가족사진도 찍었다. 유쾌하게 찍은 가족사진을 조카가 이름하여 '바람난 가족의 일탈 여행'이라고 붙인다.

일본을 다녀온 뒤 지아비의 건강은 아주 좋아지신다. 여행치유가 먹힌 것이다. 평생 암송하셨던 성경 구절을 다시 외우시기 시작한다. 속으로 주님! 땡큐를 외친다. 또 한 달에 한 번씩 여행 다니시자고 하실 정도이다. 그리하여 8월에 영국 BBC에서 정한 죽기 전에 다녀와야 할 세계 여행 50곳 중에서 45번째인 중국 시안의 진시황 병마용에 다녀온다. 9월엔 49번째 장소인 인도네시아 발리에 다녀온다. 10월엔 제주도에 다녀온다. 11월에 아들이 아빠 건강이 안 좋아지시기 전에 오시라고 해서 런던에 다녀온다.

2020년 1월 이후 코로나로 인해 비행기를 못 탔는데 2023년에 5번이나 타게 되었다. 여행의 힘이 지아비의 건강을 회복하게 한다. 2024년 2월 6일부터 13일까지 7박 8일간 고도원 여행팀과 함께 아오모리 온천에 다녀왔다. 얼마나 좋으셨는지 해년마다 가자고 하신다.

1년이 지나 비자 문제로 잠시 일본에 나온 아들 내외를 만나러 4월 30일부터 6박 7일로 후쿠오카현을 조카 둘과 함께 돌았다. 며늘아이 친정이 있는 야마구치에서 1박 2일

사돈네랑 함께 여행도 한다. 사돈네집에 초대받아 가기도 했다. 여행 다녀오신 후 지아비의 건강이 나날이 좋아지신다.

내가 받는 도수치료, 경락마사지, 수영장에 함께 따라가신다. 끝나는 시간을 잊어버린다고 적어달라 신다. 내가 치료를 받거나 운동하는 시간엔 운동장 밖에서 걸어 다니신다. 발리에서 받던 발관리를 좋아하셔서 중국에서 온 귀화한국인에게 발관리는 함께 받으신다. 그 원장도 지아비 머릿속이 많이 좋아져 간다고 한다.

지금 생각해도 2021년, 2022년이 어찌 지나갔는지 도무지 생각이 안 난다. 문장 교정할 때 수정하는 표시인 돼지꼬리마냥 통째로 날아간 듯하다. 기억하기 싫어서 해리 현상이 온 것일까나. 24시간 함께 하는 시간이 앞으로 어쩌면 10년 정도 될까?

오늘도 단기기억이 저하되는 지아비에게 속으로 말한다.

"이삭 아빠! 제발 그대로만 있어줘요.
더 이상 나빠지지 마세요!"

조카, 아들 이삭, 며느리 마리에, 조카
지아비, 나, 올케

이 행복이 계속 되기를...♡

Chapter11
당신의 감정은 안녕하십니까?

이수영

감정의 발견
마크 브래킷 / 북라이프

에세이 쓰실 분 모집에 난 어디서 나온 용기인지 카톡방 공지에 손을 번쩍 들었다. 글을 잘 쓰지 못하는 나로서는 대단한 용기이자 도전이었다. 그리고 어떤 책을 선택하고 에세이를 쓸지 고민하는 시간으로 한 달을 보냈다. 그러다 발견하게 된 책 마크 브래킷 작가의 『감정의 발견』이다.

요즈음 난 뉴스를 보는 것이 너무 싫다. 최근 들어 사건 사고를 보면 예전보다 사람들이 자신의 감정을 제어하지 못하고 타인을 해치는 일이 빈번하게 발생하고 있다. 예를 들어, 자기를 만나주지 않는다며 애인을, 너무 시끄럽게 한다며 윗집 이웃을, 내가 가는 길을 방해했다며 보복 운전을, 그냥 기분이 나쁘다며 전혀 상관없는 시민을 해치는 일이 많아졌다. 왜일까? 과거보다 이런 일들이 왜 더 많아지는 것일까? 이들은 모두 순간적인 감정에 휘둘리고 나쁜 감정의 노예가 되어 자신의 인생을 망치는 길을 선택해서이다.

그렇다면 난 이런 일이 없었을까 생각해 보면 나도 어릴 적부터 지금까지도 법에 어긋나지 않는 선에서 나의 감정을 주체하지 못하고 상대를 아프게 한 경험들이 있다. 나의 친구, 나의 이웃, 그리고 나의 아들... 아들이라는 말에 마음이 먹먹해진다.

아들이 4살 무렵의 일이다. 어느 날 같은 그림책을 10번도 넘게 읽어달라고 한 적이 있었다. (내 기억에는 10번이라고 기억하지만, 아마도 3~4번이 아닐까?라는 생각도 든다.) 난 그 당시 정신적으로 육체적으로 육아에 너무 지쳐 있었다. 그냥 나도 쉬고 싶었던 것 같다. 그리고 더 읽고 싶지도 않았던 거 같다. 아들이 10번째 읽어 달라고 책을 가져왔을 때 난 그림책을 던지며 "그만! 몇 번째 똑같은 책을 보는 거야?"라고 소리 지르며 내 감정을 아들에게 쏟아 냈었다. 아들은 그 순간 얼음이 되었었다. 잘 읽어주던 엄마가 괴물이 되어 자신에게 소리 지르는 모습을, 아들은 무방비 상태에서 고스란히 받아내고 있었다. 그리고 내가 정신이 들어 아들에게 미안하다고 했을 때 그제야 울음을 보였다. 4살 아들의 눈에는 눈물을 가득 머금고 흘리지도 못한 채 엄마를 쳐다보던 장면이 아직도 나의 머릿속에 그리고 마음 한구석에 부끄러움과 아픔으로 자리하고 있다. 그때 내가 나의 감정을 잘 알았더라면, 내가 나를 다독여 줬더라면 아들 앞에서 그림책을 던지는 엄마의 모습을 보여주지는 않았을텐데...라는 후회를 『감정의 발견』을 읽으며 깨닫게 되었다. 다행이라고 해야 할까? 아들은 그때 엄마가 그렇게 책을 던지며 화를 냈던 장면을 기억하지는 못한다. 그런데 지금 생각해 보니 던졌던 그림책을 그 이후 아들은 읽어 달라고 가져오지 않았다. 이제 생각해보니 아들의 마음이 얼마나 아팠을지 그땐 몰랐다.

마크 브래킷 작가의 『감정의 발견』 책의 첫 문장을 보면 "기분이 어떤가?"라는 짧은 문장으로 시작된다. 순간 나의 감정은 어떤가 질문해 보았다. 장소에 따라, 날씨에 따라, 나의 생활 전후 상황에 따라, 누구와 함께 있느냐에 따라 나의 감정이 달라질 수 있겠다는 생각도 함께 했다. 만약 지금 나의 글을 읽는 사람들에게도 묻고 싶다. "지금 당신의 기분은 어떠신가요?" 나의 글에 대한 비평의 글일 수도 있고, 지금 상황에 대한 기분일 수도 있다.

이 『감정의 발견』은 3부로 나눠 기술되어 있다. 1부는 감정은 무시하거나 억누르지 않고 표현해야 한다고 한다. 또한, 감정은 일종의 정보라고 표현하고 있다. 우리는 다른 사람의 감정을 알아차릴 수 있는 재능이 없으므로 모두 감정을 다루는 법을 배워야 한다고 한다. 즉, 나의 감정을 인정하고 수용하여 감정 심판자가 아닌 감정 과학자가 되어 표현해야 한다고 서술하고 있다. (p34에 보면 자세하게 감정 과학자가 되는 5가지 능력을 기술하고 있다.) 또한, 감정 과학자가 되려면 감성 능력을 길러야 한다고 한다. 감성 능력을 구성하는 다섯 가지 요소에는 "감정 인식하기, 감정 이해하기, 감정에 이름 붙이기, 감정 표현하기, 감정 조절하기"가 있다. 나에게 감성 능력의 5가지를 나는 얼마나 써왔었는지 자문해 봤다.

 코로나가 시작되기 1년 전쯤, 난 한 독서 동아리 회원들로부터 단톡방 왕따가 되었다. 그 당시 난 동아리 회장의 부당한 처사를 얘기했다. 그리고 몇 번의 얘기가 오갔고, 그리고 톡방에 동아리 회장이 나갔다. 그러자 그녀를 따라 다른 회원들도 나가기 시작했다. 한동안 안식년을 보냈던 사람들도 무슨 얘기를 어떻게 들었는지 모르겠으나 나에게 모진 말을 남기고 톡에서 홀연히 나갔다. 나의 의견을 지지하던 한 명을 제외하고 말이다. 난 3개월간 소위 멘붕이 왔다. 내가 뭘 그리 잘못했길래 그렇게까지 하고 나가는지 도저히 이해가 가지 않았고 화가 났다. 누군가를 도우려던 나의 의도는 변질되어 그들에게 전해졌고, 난 이상한 사람으로 낙인 아닌 낙인이 찍혀 그들로부터 철저히 무시되는 수모를 겪었다. 지금도 난 그 톡방에 홀연히 혼자 있다. 그리고 코로나가 지나는 동안 난 나의 감정을 다독이기 시작했다.
 갑자기 그녀들에게 들었던 말도 안 되는 말이 떠오를 때면 너도 언젠가는 똑같은 일을 겪으리라고 생각했다. 그렇게 난 나의 감정을 조절하고 나를 다독이는 작업을 했다. 그리고 작년과 올해 우연히 동아리 사람들을 한 장소에서 만났다. 그들은 아무 일도 없었던 것처럼 나에게 먼저 다가와 그땐 왜 그랬는지 모르겠다며 미안했다고 사과하는 이도 있었다. 『감정의 발견』 책을 읽으며 과거 나에게 발생한 사건들에 대한 감정을 잘 인식했는지, 잘 이해했는지, 나의 감정을 타인에게 잘 전달하기 위해 표현했었는지, 마지막으로 잘 조절했는지 되돌아보게 되었다. 그렇게 나의 과거 감정들을 만나고 다시 새로운 감정을 만나는 시간들로 1부를 보았다.

2부는 감정을 다루는 다섯 가지 기술을 서술하고 있다. 1부의 질문과 같이 작가는 "지금 기분이 어떤가?"라고 다시 묻는다. "그냥 떠오르는 대로 말하라"라고 말한다. 1부를 통해 과거 나의 감정들을 만나면서 2부에서 기억에 남았던 것은 감정에 이름을 붙이는 것이었다. '무드 미터(MOOD METER)'를 통해 나의 감정의 색을 찾고, 나의 감정의 단어를 찾으면 내 감정을 타인에게 잘 전달할 수도, 내 감정을 어떻게 대처해야 할지 생각할 수 있다고 서술하고 있다. 또한, 나의 감정을 알아차렸다면 감정 조절을 통해 어떤 전략을 취할지 결정할 수 있다고 한다. (P.214에 보면 5가지 범주로 나와있다) 그중 최근에 난 '마음 챙김 호흡법'을 사용한 경험을 나눠보려 한다.

수요일. 최근 일이다. 난 오전 봉사 활동을 끝내고 집으로 가는 버스에 올라 타 맨 뒷좌석에 앉아 있었다. 앉은 지 얼마 후 버스 입구는 50대 후반으로 보이는 남성이 버스 기사에게 소리 지르는 소리로 소란스러웠다. 하지만 버스 기사는 어떠한 대꾸도 하지 않았다. 그러자 그 승객은 더욱 화가 난 듯 더 큰 소리를 질렀다. 그때 중간쯤 앉아 있던 한 남성이 "조용히 좀 합시다"라고 말했고, 소리 지르던 승객은 급기야 웃옷을 벗고 그 말 한 사람을 찾듯 뒤로 다가오기시작했다. 그때 나와 맨 뒷 자석 옆에 앉아 있던 20대 여자의 한숨 소리가 내 귀까지 들렸다. 내 생각에 그녀의 한숨은 이 상황에 대한 답답한 마음을 가라앉히고자 하는 숨으로 느껴졌다. 그리고 나도 그녀와 같이 깊은 숨을 코로 쉬었다. 그렇게 난 '마음 챙김 호흡'을 하고 있었다.

얼마 후 소란 피우던 남성은 버스에서 내렸고, 버스는 다시 평범한 일상의 소리만 들려왔다. (P.216~217 "마음 챙김 호흡 실행법" 설명되어 있다) 나는 간혹 아이들의 흥분도를 낮추기 위해 입으로 내 쉬고, 내뱉는 것을 애기 하곤 했는데, 이 책에서는 입을 통한 호흡은 빠르고 얕기 때문에 스트레스를 재활성화할 수 있다고 서술하고 있다. 그러나 코를 통한 깊은 호흡은 스트레스 반응 체계에 브레이크를 걸어 준다고 한다. 입으로 쉬는 호흡보다 코로 깊이 들이마시고 내시는 것이 마음의 긴장감을 완화한다고 하니 이제부터는 아이들의 흥분도를 낮추고자 할 때 코로 숨쉬기를 해보려 한다. 또한 그날 나도 모르게 하고 있던 행동이 나의 마음을 챙기고 있었음을...

3부는 행복과 성공을 부르는 감정 기술 적용법을 서술한다. 가장 기억에 남는 것은 가정에서 부모가 먼저 자신을 자극하는 방아쇠가 무엇인지 인지하는 것이다. 그리고 방아쇠를 알았다면 감정 조절하기 위한 첫 단계로 '메타모먼트 '잠시 멈춰 숨을 한 번 쉬는 것. 내가 생각하는' 최고의 자아를 상상하는 것. 부모가 먼저 감정 과학자가 되는 것. 그리고 나의 뒷모습을 보고 나의 아이가 감정 과학자가 될 수 있게 도와 주것, 감성 능력을 키워주는 것. 이 책에서는 감성 능력은 우리 내면에 있는 잠재력을 푸는 열쇠가 될 수 있다고 한다. 빠르게 바뀌어가는 세상에서 우리는 수많은 감정을 느끼고 감정들을 보게 된다. 그리고 나도 모르게 아니면 알면서도 나의 이익을 위해 감정을 발산하기도 한다. 하지만 나의 감정을 잘 인식하고, 잘 조절하고, 대처할 때 우리의 미래도 자라나는 우리 아이들의 미래도 밝아질 거라 생각된다.

『감정의 발견』 책을 읽는 동안 나는 지난날의 묵혀둔 감정들을 하나하나 열어보는 시간이 되었다. 열어보며 쌓여있던 감정에 이름을 붙여주고 어떤 것이 나를 아프게 했는지,

무엇이 나를 그 감정들로부터 나를 보호했는지 알아보는 귀 한 시간이었다. 그리고 청소년기 질풍노도의 시기를 보내고
있는 아들의 감정도 이제는 실수하지 않고 잘 들여다보고 감정을 잘 읽어주려 한다. 또한, 나의 중년기를 그리고 다가올 후반기를 잘 보내기 위해 또 한 발 내딛는 나를 응원해 본다. 🍀

이 책을 읽는 독자분들의 감정도
언제나 안녕하시길
......

Chapter12
질문 잘하는 아이 질문 잘듣는 엄마

유소현

부모 인문학 수업
김종원 / 청담 Lite

부모라는 왕관을 즐겨라

?¡ By 질문 잘하는 아이 질문 잘 듣는 엄마 (질문아이)

나는 한국에서 40대이자 곧 사춘기에 접어드는 딸아이를 키우고 있는 워킹맘이다.

요즘 주변을 돌아보면 아이가 있는 집과 없는 집으로 나뉘는 것처럼 느껴진다. 놀이터에서 아이들이 노는 소리가 시끄럽다고 민원을 넣는 사람들, 14세 미만의 아이들은 사용하지 못하는 호텔 사우나, 점점 늘어나는 노 키즈 존 카페와 가게들, 아이 엄마들을 '맘충'이라 부르는 인터넷 댓글들. 그 속에서 엄마들은 엄마대로 아닌 사람은 아닌 사람대로 각각의 서운함 부정적인 경험들이 쌓여 그 장벽은 점점 고층 건물로 즐비한 삭막한 어딘가가 되어가는 것 같다. 가까운 지인도 별반 다르지 않은 것 같다. 아이가 없는 친한 친구들이나 친척 동생들은 아이 키우는 데 드는 돈과 시간들이 어마 무시한 현실에 살고 있는 나를 불쌍해하며 위로해 주지만, 딱히 나의 고충에 크게 공감하지 않는 것은 나의 자격지심 때문일까? 또한 '우리 때는 아이들 여러 명 잘만 나아 키웠다'며 아이 더 낳으라는 어르신들에게 는 그저 미소로 답하는 것이 과거 내가 할 수 있는 전부였다.

　그렇다면 이 문제를 해결할 방법은 정말 없는 것일까? 나는 이 해결책을 아이가 아닌 부모가 먼저 바뀌어야 된다는 것을 결국 깨달으며 행동으로 하나씩 그 실매듭을 풀어 나가고 있다.

　김종원 작가님의 '부모 인문학 수업'은 그런 나의 생각에 힘을 실어주는 내 편이자 '좋은 부모란 무엇인가?'라는 단순할 수 있는 질문을 다각적인 시선으로 그리고 오랫동안 고민하고 행동으로 옮기고 싶게 만드는 마성의 책이라 할 수 있다.

　아이가 고학년에 접어드니 이제는 너무나 많은 정보에 지금까지 잘해왔던 것은 잊어버리고 마음이 자꾸 조급해지기 일쑤다. 사실 우리 아이를 중심에 놓지 않고 남이 하는 것들이 마냥 좋아 보이고 다 해줄 수 없음에 속이 상할 때도 있었다.

　이때마다 나는 작가님이 이 책을 쓰는 내내 자신에게 질문했던 공부에 관련된 질문들을 떠올리려 했다. 그 질문에 대한 나만의 답을 찾으려면 한참 걸리긴 하겠지만, 남이 아닌 우리 아이에게 가장 맞는 교육법을 언젠가는 찾을 수 있지 않을까? 그리고 나의 성장에도 도움 되리라 하는 희망이 빛이 생기게 하는 그 질문들은 다음과 같다.

1. 왜 교육을 받아야 하는가?
2. 교육이란 무엇인가?
3. 왜 공부를 잘해야 하는가?
4. 왜 학원에 가야 하는가?
5. 무엇이 우리를 스스로 공부하게 하는가?

(김종원, 『부모 인문학 수업』, 청림Life, pp.98~99.)

나는 이 질문들을 어른뿐만 아니라 아이들에게도 꼭 한번 질문해 보라 권하고 싶다. 실제 내 아이에게 '왜 공부를 잘하면 좋을까?'라는 질문을 했더니 '다른 사람들에게 무시당하지 않으려고요'라는 대답이 돌아왔다. 평소 아이가 나름 자존감 높고 남의 의식을 크게 신경 쓰지 않는다고 생각해 왔기에 내게 그 이유가 꽤 충격적으로 다가왔다. 그러나 이내 '이 질문을 안 했으면 어쩔 뻔했지?'라는 긍정적인 생각으로 시간을 두고 그 질문에 대한 해답을 대화를 나누었다. '공부를 해서 그 분야에 대해 많이 알게 되면 나에게 어떤 점들이 좋을까?' '좋은 친구란 어떤 친구를 뜻하는 것일까?' 등의 질문들이 꼬리에 꼬리를 물었다. 질문에 대한 아이의 반응이나 대답은 우리의 기대에 못 미칠 경우도 많고 아직 아이가 잘 대답을 못할 수도 있

꽃을 보듯 아이를 본다.

다. 하지만 생각해 보는 기회를 준 것부터가 시작이지 않을까?

나의 삶도 그렇고 보니 육아 전과 후가 많이 바뀌었다. 자유로운 영혼의 P형 성향의 내가 지금은 계획적인 J형으로 점점 변화하고 있다고 한다면 이해가 쉬울까? 좀 더 내 시간을 가지기 위해 아침잠을 즐기던 내가 새벽 기상을 하게 되었고, 주먹구구로 필요한 것들을 해오던 내가 월간 주간 일일 계획표를 짜기 시작했다. 운동도 시작했고 긍정적인 사고를 가지려 전보다 노력도 한다. 그리고 가장 크게 변한 것은 나와 전혀 다른 우리 아이를 이해하기 위해 시작한 독서로 새로운 것들을 배우는 즐거움을 알았다는 것이다. (물론 계획 꾸준히 지키기, 집 청소 등등 계속 실패를 맛보는 것들도 아직 많다.)

부모가 한 아이를 양육하고 교육하는 방식은 제각기 다르다. 어떤 것이 꼭 정답이고 무조건 이렇게 해야 한다는 것 또한 당연히 없고 우리의 선택이다. 이 책을 읽으며 '부모가 이렇게 희생하고 해야 할 것들이 많다니' 하며 나도 모르게 작은 한숨도 쉰 적이 나도 있었다. 하지만 이런 것들이 두려워 결혼과 아이를 가지기 두려워하는 이들이 있다면 지금은 분명히 '육아해 볼만해요!'라고 꼭 말해주고 싶다! 그리고 이런 고민과 부담을 어떻게 하면 우리 모두 줄일 수 있을지의 질문을 던지며 나는 외쳐본다.

'나는 오늘도 매일 기적을 만든다!'

Chapter13
내 영혼을 위한 희망

임정희

반 고흐 영혼의 편지
빈센트 반 고흐 / 위스덤 하우스

그림을 그리고 싶었다. 스트레스를 받는 날이나 아무것도 쓰지 않는 날들이 계속될 때면 무언가를 쓰거나 그림을 그려야 한다는 생각이 들 때가 있다. 그렇게 쓰거나 끄적이는 그림을 그리고 나면 머리가 시원하고 맑아지는 느낌이다.

반 고흐에 빠진 것은 그의 그림 '해바라기' 작품을 보고 나서다. 해바라기를 바라보며 나는 빛나는 희망을 보았다. '나'라는 존재에서 찾을 수 없었던 희망. 그렇게 해바라기는 나의 잃어버린 희망의 빛을 잠시나마 되찾아주었고, 내 마음은 설레었다. 해를 바라보다 노랗게 물든 듯 햇빛 같은 따스함도 좋았다. 지독한 가난과 고독가운데 반 고흐가 바랐던 것은 따뜻한 사랑이었다. 내가 바라는 것 또한 따스함과 사랑이다.

나는 누구인가? 아이 하나, 둘, 셋을 낳았다. 체력도 내면의 힘도 없던 나는 첫째를 낳은 날, 그날부터 진짜 나도 세상에 태어났다. 꽁꽁 숨겨왔던 진짜 나를 더 이상 나 스스로 숨길 수가 없었다. 스스로 참아내고 억압했던 감정들이 쏟아져 나왔다. 진짜 나를 만나니 당황스러웠다. 이게 진짜 나라고? 화를 쏟아붓고, 억울하고 분한 진짜 나는 가짜 나에게 너무 어색했다. 따뜻하고 착하고 좋은 사람이기를 바랬는데 말이다.

반 고흐는 누군가에게 필요한 존재가 되기를 바랐다. 나도 누군가에게 도움이 되는 존재, 필요한 존재, 의미 있는 존재로 살고 싶다.

나의 자화상을 그려본다면 어떨까? '부족한 나', '초라한 나'라는 나 자신의 자화상은 나를 어둡고 쪼그라들게 만들었다. 좋아질 수도 있다는 희망조차 꿈꿀 수 없는 좌절감, 주저앉음, 무기력. 나의 꽃은 언제나 필는지… 마르고 시들어진 꽃 같은 내게 희망을, 사랑을 주기를 간절히 바라는 데… 해바라기는 해를 바라며 사는데, 나는 무엇을 바라며 살아야 하는 건가?

몇 주 전, 유모차에 아이를 태우고 도서관 산책길에 나섰다. 햇볕이 뜨거운 오후였다. 어느새 아이가 잠이 든 지도 몰랐다. 땀을 연신 흘리며 유모차를 밀며 도서관으로 향했다. 마주 오던 한 아주머니가 아이를 바라본다. 아이 목이 아프겠다는 말에서, 나를 힐끗 보는 눈빛에서, 비난을 느꼈다.

그렇게 지나가는 아주머니를 뒤로한 채 심장이 쿵쾅쿵쾅 점점 심하게 울리는 소리가 들린다. 이제 가짜 나는 더 이상 참을 수가 없다. 하지만 소심한 나는 아주머니 대신 남편에게 전화를 걸었다. 진짜 분하고 억울해 울면서 나왔다.

"왜 기분 나쁜 눈빛으로 내 얼굴을 쳐다보며 가는 건데…"
"당신이 잘못한 거 없어. 그 사람이 이상한 사람이네…"

숨겨왔던 솔직한 내 마음을 조금씩 남편에게 꺼내어 본다. 지나가던 아주머니에게 못했던 말, 남편이 받아주어 고마웠다.

그런데…

'나 원래 이런 사람 아닌데? 아니었는데…'

속에 참았던 말들을 꺼내놓는 어색한 나를 만나고, 그런 나를 받아주고 지지해 주는 어색한 남편을 만났다. 이제야 남편이 나에게 도움이 되는 존재가 되도록 내가 도와주었다는 것을 깨달았다. 남편이 우울증에 걸리고서야 나를 이해해 주기 시작했다. 오랜 시간 혼자였는데, 동지가 생긴 것 같아 든든하다.

반 고흐가 동생 테오에게 쓴 편지 중에…
"우리가 살아가야 할 이유를 알게 되고, 자신이 무의미하고 소모적인 존재가 아니라 무언가 도움이 될 수도 있는 존재임을 깨닫게 되는 것은, 다른 사람들과 더불어 살아가면서 사랑을 느낄 때인 것 같다." (p.14)

"이 감옥을 없애는 게 뭔지 아니? 깊고 참된 사랑이다. 친구가 되고 형제가 되고 사랑하는 것, 그것이 최상의 가치이며, 그 마술적 힘이 감옥 문을 열어준다. 그것이 없다면 우리는 죽은 것과 같다. 사랑이 다시 살아나는 곳에서 인생도 다시 태어난다." (p.25)

나도 다시 살아날 수 있나 보다.

Chapter14
아이들과 살며 사랑하며 배우며

꿈잉 이승희

살며 사랑하며 배우며
레오 버스카글리아/홍익

겨울방학이 끝나갈 무렵, 교실 문이 열리고 엄마 손을 붙잡고 남자아이가 들어왔다. 어머나~. 출근하려다 점심 먹을 시간이 부족할 때 자주 가던 곰탕 집 사장님이셨다. 말간 국물이 깔끔해서 울 신랑이 좋아하는 식당이다. 화장기 없는 얼굴에 일부러 모자를 꼭 눌러쓰고 왔음에도 단번에 알아볼 수 있었다. 더군다나 여성분들의 얼굴을 잘 기억 못 하는 울 신랑도, 사장님도 우리를 바로 알아보셨다. 이런 우연이 있나. 지금껏 학원은 문턱도 밟지 않고 있다가 처음 와 본 학원이라는 데, 우리를 보고 바로 맡기고 가셨다.

기쁨은 잠시, 수업 첫 날 새로 들어온 아이를 위해 개념 설명을 칠판 수업으로 하는데 정작 그 아이는 보지도 않는다. 문제를 풀 때는 고개가 책 속으로 곧 들어가겠다. 다른 친구들은 방학 때 공부를 많이 했는데 너는 처음이라 모르는 게 많은 것이 당연한 거라고 모르면 물어봐야 한다고 토닥여 줬다. 아이가 돌아간 자리는 티가 났다. 책상은 삐 뚤어져 있고 지우개가 가루가 되어 바닥이 하앴다. 공부한 흔적이 아니라 손으로 긁어 팠기 때문이다. 아이가 불안해 한다는 것을 드러낸다. 4학년이 되었으나 태도는 아직 2학 년 같다. 집에서 숙제를 해와도 제대로 풀어오지 못하니 부 모님이 도와줘야 하는 형편이었다. 그래서 한 시간 정도 남 아서숙제를 하고 가기로 했다. 집중력이 약해서 한 장 정도 풀면 점검해주다 보니 결국 2시간씩 밀착 과외가 되었다. 어머님이 수학 학원이 적응되는 한 달 뒤쯤 영어학원을 알 아보겠다고 하셨는데 더 기다려 주시라고 말씀드렸다. 적응 할 때는 집중할 시간이 꼭 필요하기 때문이다.

1주일 지나 새 학기가 시작되고 학교를 가더니 더 불안해 했다. 담임선생님한테 혼났다고 풀이 죽어 오는 날도 있었 다. 그럴 땐 내가 주는 간식도 안 먹는다. 혼이 나면 속상 해 하고 칭찬받으면 하늘을 날 듯 기뻐한다. 자신의 감정을 그대로 표현할 수 있는 아이는 마음 깊은 곳에는 상처가 없다는 뜻이다. 조금씩 자신이 잘하는 영역이 드러났다. 그 럴 때면 나에게 칭찬을 종용했다. '칭찬이 고팠구나~.' 그전 태도가 좋지 않았 다던지 여러 이유로 종용해도 칭찬 을 안 해줄 때가 있었다. 그러면 삐지기도 한다. 어떤 날은 태도가 안 좋아서 아이 앞에서 어머님께 전화 걸어 한 시 간 정도 더 남기겠다고 말씀을 드린 적이 있다. 아이는 엄마에게 전화했다고 한 시간을 눈물 콧물을 멈추지 않았다. '이 아이에게 엄마는 세상이고 우주였구나.' 그런 아이를 우주 같은 엄마에게 내가 대놓고 일러바친 셈이다. '아뿔싸~!' 학부모님들께는 야단치지 말라고, 칭찬 많이 해주라고 상담때마다 칭찬 거리를 말씀드린다. 정작 나는 야단치지 않은 척하고, 교묘히 아이에게 상처를 준 것은 아닐까? 그때 마음이 어땠는지 물어보지 않았음이 떠오른다. 그러고 보니 2-3일 동안 교실에 들어올 때마다 뾰로통해 있었던 것 같다. 하지만 내면이 맑은 아이라 수업 시간이 되면, 언제 그랬냐는 듯이 웃으며 지나갔다.

  같이 공부하는 친구들이 옆 반, 그리고 그 옆 반이다. 조금씩 친구들과도 익숙해지고 편안 해지니 수다쟁이가 되었다. 여느 여자애들보다 말이 더 많다. 이 반은 남자아이가 이 아이 혼자다. 자연스레 왕따도 살짝 있다. 그래도 아랑곳 않고 여자 아이들과 스스럼없이 잘 지낸다. 자존감은 단단해 보인다. 지금 돌이켜 보니 유독 수업시간 내내 떠들어대던 아이들이 모두 외동이었다. 부모님들이 모두 직장에 다니시면 혼자 있는 시간들이 많은 친구들이 아마도 혼자 있는 시간에 상상의 나래를 펼쳤으리라. 그러다 사람들을 만 사람들을 만나면 봇물 터지듯이 쏟아내나 보다. 늦둥이 막내였던 나도 외동처럼 커서 이해가 간다. 더군다나 말씀이

거의 없으시고 야단 한 번 안치셨던 엄마인지라 나는 말이 고팠었다. 그래서인지 말이 많은 아이들에게 다른 친구들에게 피해를 주면 안 된다고 매 번 인지시키기는 하지만 강하게 제지하지 않는다. 자신의 기질이 있는 그대로 발현될 때 창의력은 뿜어져 나온다고 믿고 있기 때문이다. 나는 내가 창의력을 키우는 대단한 방법들을 알고 있다고 생각진 않는다. 다만 아이들의 잠재력이 사라지게 하지 않도록 노력하고 있다고 믿는다. 언젠가는 펼쳐질 가능성을 열어주는 희망의 메시지를 전해주고 있다고 확신한다.

문제를 풀면서도 이야기를 잘하는 이 아이가 어느 날은 대뜸 아무 감정 없이 이렇게 말했다.
"아빠가 나는 끈기가 없대요."
난 평소에 공부하다 주저리 하는 얘기는 대꾸를 안 하거나 "조용~!", "안궁(안 궁금해)~" 라고 반응하며 멈추게 하는데, 이번에는 "어, 그래?"하고 반응하게 되었다. 더 이상은 말하지 않았지만 생각이 많아졌다.

어린 시절 부모나 교사, 다른 의미 있는 타인들의 말 한마디가 우리 아이들에게 얼마나 강력한 영향력을 미치는지 모르는 사람들이 많다. 우리의 의지에 의해 선택된 신념! 그렇게 선택된 신념은 개인에게 평생 영향을 미친다. 그러나 우리가 가지고 있는 대부분의 신념은 어린 시절 자각하지 못하고 가족이나 사회에 의해 심어지지 않는가! 나도 내 아이들을 키우며, 인지하지 못하고 막 뱉어버린 말들이 얼마나 많을지... 때론 그런 생각들이 나를 아찔하게 한다. 지금도 나는 새롭게 인지하게 된 잘못들이 있으면 아이들에게 전하면서 사과를 한다. 그 때는 모르는 게 참 많았다고.

그 아이의 정체성이 끈기가 없는 아이가 되도록 그냥 놓아 둘 수는 없었다. 하지만 지금은 무턱대고 너도 끈기가 있어! 라고 말해줘도 아이는 믿지 못할뿐더러 아빠만 부정시킬 뿐이라서 그냥 조용히 지나쳤다. 이제 교재가 끝나가니, 교재를 마무리하는 과정에 말해주어야겠다. '이렇게 책을 여러 권이나 끝내고 힘든 적도 많았는데도 학원에 빠지지도 않고 매일 2시간씩 공부했잖아? 그건 네가 끈기 있는 사람이란 증거야.'라고... 아이가 이것을 해낼 수 있다는 능력이 있음을 스스로가 깨닫길 바랄 뿐이다.

아이가 학원에 온 지 3개월이 조금 지난 지금, 학교 시험도 높은 점수를 받기도 하고 학습 속도도 빨라져서 이미 자신감이 나날이 높아지고 있다. 조금 쉬운 단원이 나올 때, 이렇게 말해 주었다.

"오늘은 이번 단원 끝내보자."

"이걸 오늘 끝낸다고요?"

스스로 의심하는 녀석...

"그럼, 네가 얼마나 잘하는데~."

그랬더니 바로 수긍하고 공부 시작이다.

어제는 친구가 "이걸 끝내라고요?"라고 말하는 것을 들더니, "그럼, 네가 얼~마나 잘하는데~!"라며 내가 했던 말을 흉내 내서 다 같이 웃었다.

이젠 이 아이는 자기주도학습이 시작되었다. 나는 앞으로 가이드라인만 잡아주면 된다. 영어뿐만 아니라 어떤 공부를 하게 되든, 수학은 흔들리지 않을 것이다.

수학만 좋아하던 내가 자기 계발 서적들을 읽으며 비전과 소명이라는 단어들을 접하게 되었다. 철학이나 인문학을 어렵게만 느끼고 있던 터라 나 자신을 알아가고 내가 뭘 좋아하는지 뭘 하고 싶은지도 생각하는 것도 어려웠다. 그러니 비전이나 소명은 더 멀기만 했다. 나의 소명을 찾기 위해 참으로 다양한 것들을 배우러 다녔는데 나를 알아가는 것이 더없이 즐겁기도 했지만 더 막연하기도 했다. 코칭과 심리를 공부하며 내가 그동안 갈급 하던 마음이 조금은 해소된 듯은 하나 여전히 방향 잃은 돛단배 같았다. 그러다 학원에 선생님 한 분이 그만두시게 되어 잠시 떠났던 학원에 돌아와 아이들을 만났다. 그러다 아이들을 정말 좋아하는 나를 보게 되었다. 바깥에서 찾으려 헤맸던 나의 소명은 결국 아이들이었다.

전에 나는 수학을 가르치기 시작할 때 강의 스킬을 훈련하거나 판서 연습하는 것에는 관심이 없었다. 처음 공부하는 친구들에게 어떻게 하면 효율적이고 효과적으로 가르칠수 있을까, 수학에 자신감이 없는 친구들이 어떻게 하면 자신감을 키워줄 수 있을까, 잘하는 친구들이 자신의 가능성깨닫고 더 높은 목표를 갖게 할까에 관심이 많았다. 자기계발 서적을 읽으면서는 책을 읽고 적용점이 지금의 나한테 초점이 맞춰지는 것이 아니라 조언해 줄 어른이 없었던 어린 시절의 나에게로 돌아갔다. 이걸 내가 어린 시절 일러준 사람이 있었다면 나는 어떻게 달라졌을까? 하고 생각했다. 그래서 책을 읽으면 내가 만나는 어린 친구들이 떠오른다. 아이들에게는 이 걸 어떻게 이해하기 쉽게 전달할 수있을까를 고민하게 된다.

<살며 배우며 사랑하며>에서 레오 버스카글리아 교수는 말한다.
"어린이와 관련된 직업에 종사하는 사람들은 굳은 결심과 의지로 '나'라는 인간을 찾아서 어린이에게 나눠줘

야 할 뿐 아니라 아이들도 자유롭게 '나'라는 인간을 찾고 계발하고 그 기쁨에 빠져들고, 그리하여 다른 이들에게 나눠줄 수 있도록 도와야 합니다. 자기 삶에 가장 소중한 것이 무엇인지를 알아야 아이들에게 소중한 것이 무엇인지 가르칠 수 있습니다."

이제는 이 말의 의미가 가슴으로 파고 들어온다. 내가 지금 수학을 가르치고 있지만 수학은 도구일 뿐 수학이라는 과목을 통해 자신의 정체성을 찾아가길 바라고 있었음을 깨닫는다. 우리 아이들을 있는 그대로 바라보고 자신의 생각과 감정을 자유롭게 표현하도록 사랑과 인정으로 안전한 공간이 되어주고 자신의 무한한 가능성을 깨달을 수 있도록 도울 것을 굳게 결심한다. 세상에 나아가 당당하게 설 수 있는 힘은 모두 아이들 자신 안에 내재되어 있음을 알려 주리라. 이 세상은 새롭게 꿈꾸고 도전하고 실패하고, 그러면서 한걸음 성장하게 된다는 것을, 실패와 성장을 신나게 즐기며 살아볼 만 하다고 내 삶을 통해 알려 주리라. 지금 이 순간도 학생들과 만나며 나의 소중한 한걸음을 가슴으로 전해주고 있다.

오늘은 한 달 전에 학원에 새로 온 6학년 남자아이의 어머니께 전화를 했다. 겨울방학 때 전학 온 이후로 혼자서 공부했는데 지난 단원 평가 점수가 너무 낮아서 학원에 오게 된 친구다. 이 아이는 '난 내성적이다'고 얼굴에 쓰여 있는 아이로 실제로 거의 말을 들을 수가 없다. 평소 얼굴 입이 내밀고 뾰로통한 표정을 보이는 녀석이다. 6학년이지 만 공부를 많이 하는 것을 싫어한다. 어머님 말씀으로는 과 제도 아이에게는 도전이라고 하니 해야 할 공부는 많으나 나의 욕심은 내려놓고 그 아이의 마음의 빗장을 먼저 조금 씩 풀어야 했다. 자꾸 오답이 나와도 부드럽게 다가가 주었 다. 열심히 풀고 있으면 편안하게 등도 쓰다듬어 주었다. 그런데 오늘 처음으로 수업시간 내내 미소를 짓고 있는 게 아닌가! 오른손약지 손가락은 깁스를 하고 왔는데 얼굴은 미소 가득이다. 다른 아이들 같았으면 싱글벙글에 시끌벅적 했을지도 모른다. 보는 내 마음이 너무 행복해서 가만히 있 을 수가 없었다. 어머님께 전화를 했다. 공부를 열심히 했 다고 하는 전화가 아니라 오늘 종일 웃고 있었다고 전화를 한 거다. 단원 평가 점수가 정말 좋게 나와서 그런 거 같다 고 하셨다. 얼마나 나한테 말하고 싶었을까? 그래서 나랑 눈 마주칠 때마다 웃었구나 '왜 그렇게 기분이 좋니?' 하고 내가 물어 봐주었으면 너무 좋아하며 자랑했을 텐데. 웃고 있는 것 만도 좋아서 물어보는 것도 잊었다.

아이가 행복해하는 모습이 가슴으로 스며들어 온다. 지금 이 순간도 행복을 만드는 순간임을 이 아이는 가슴으로 체

험한 것이다. 공부를 즐길 수 있는 아이로 한걸음 성장한것
이다. 앞으로도 세상을 즐길 수 있는 아이가 되도록 나는
그 옆을 지킬 것이다. 👩‍💼

Chapter15
뱃사공이 되고 싶었어요

따다샘

싯다르타
헤르만 헤세 / 민음사

"너 MBTI 뭐야?"

최근 몇 년간 공부방인 우리 집을 드나드는 초등학교 아이들의 입에서 'MBTI' 성격 유형 검사 이야기가 유행이다. 이런 현상을 지켜보면서 '아직 어린 초등생들이 자신의 유형을 단정 지어도 될까?' 내심 염려스럽기도 하지만 또 하나의 소통과 놀이 문화로 인정하고 가볍게 넘겨 버린다. 하지만 자신이나 남들을 알아갈 때 경험이라는 '절대 시간'이 필요하지 않을까? 나 또한 나를 알아가는데 여러 경험을 통해 나의 유형을 파악하고 인정하며 나에게 맞는 학습법을 찾아가고 있다. 나는 지극히 E(외향형) 성향인 것을 부인할 수 없다. 먼저 경험을 하고 이해하는 성향이라고 할까? 책을 읽어도 그룹으로 대화와 소통을 하며 읽어야 더 효과적이다. 그런 나를 알기에 책을 꾸준히 읽고 싶어 온라인 책 모임을 찾게 된다. '새깨독(새벽을 깨우는 독서모임)'이라는 온라인 독서모임을 참여한 지 2년이 지나고 있다. 덕분에 편독하지 않고 다양한 책을 접할 수 있었다. 만약 이런 모임이 없었다면 내 손에 헤르만 헤세의 《싯다르타》라는 책이 펼쳐졌을까? 독서모임 전까지 책을 읽고 스스로 질문을 만들어야 하는데 제목과 앞부분의 내용에 흥미가 별로 없어 완독 하지 못하고 참여했다. (워낙 철면 피라 완독 하지 않고도 잘 참여한다.) 듣는 것만으로도 많은 도움이 되기 때문이다. 어떤 분이 뒷부분으로 갈수록 더 좋은 내용이 많다고 했다. 모임이 끝나고 성향답게 발동이 걸려 열심히 읽었다. 책 속 주인공인 브라만 계층의 싯다르타는 내면의 부름에 따라 자신만의 길을 가면서 스스로 발견하고 체득해 간다. 유한한 운명의 길에 내던져진 불완전한 청년 싯다르타가 사색과 경험을 거듭하며 자신과 세상을 깊이 이해하고 사랑하는 힘을 길러 강가의 현자로 성장하게 된다. 싯다르타가 강을 통해 자기 자신과 마주하게 되고 배워나갈 때 멘토가 되어준 뱃사공 바주데바를 향한 저자의 묘사는 너무나 아름답고 설득력이 있어 독자인 나를 뱃사공이 되고 싶게 만들었다.

"바주데바는 매우 주의 깊게 그의 말을 귀담아들었다. 그는 싯다르타가 이야기하는 내력, 유년 시절, 배움, 구도 행위, 기쁨, 공경 이 모든 것을 경청하면서 자가 내면에 받아들였다. 이것이야말로 뱃사공의 가장 큰 미덕들 가운데 하나였으니, 남의 말을 그보다 더 진지하게 귀 기울여 들어주는 사람은 거의 없었다. 이야기를 하고 있는 싯다르타는 바주데바가 한마디 말도 하지 않은 채 자기가 하는 말을 고요 하게, 마음을 툭 터놓고, 느긋하게 마음속으로 받아들이고 있음을, 바주데바가 자기가 하는 말을 하나도 빠뜨리지 않고, 초조하게 다음 말을 기다리는 법이 없이, 자기가 말하는 중에는 칭찬의 말도 꾸중의 말도 하지 않고서, 다만 가만히 귀 기울여 듣고만 있음을 느낄 수 있었다. 싯다르타는, 이런 식으로 자기 말을 들어주는 사람에게 자신을 고백한다는 것, 그리고 그런 사람의 마음속에다 자신의 인생, 자신의 구도 행위, 자신의 고뇌를 털어놓는다는 것이 얼마나 행복한 일인가를 느꼈다." (153p)

뱃사공 바주데바는 경청하는 법을 강에서 배웠다고 한다. 주인공 싯다르타는 뱃사공과 함께 살면서 처음 그의 영혼을 사로잡았던 강에게 배워나갔다.

"그가 본 비밀은 바로 다음과 같은 것이었다, 이 강물은 흐르고 또 흐르며, 끊임없이 흐르지만, 언제나 거기에 존재하며, 언제 어느 때고 항상 동일한 것이면서도 매 순간마다 새롭다! 오, 과연 그 누가 이 사실을 파악할 수 있으

며, 이 사실을 이해할 수 있으리!"(149p)

　지극히 평범하다 못해 식견이 한없이 좁은 나는 이해할 수 없는 문장이다. 누군가의 큰 통찰이 들어있는 이 문장과 마주하면서 '참 좋다!'고 느낄 뿐 이해할 수 없는 아쉬움을 고백한다. 싯다르타는 자신의 인생도 한줄기 강물이라는 것을 깨달았다. 소년 싯다르타, 장 년 싯다르타, 노년 싯다르타는 단지 그림자에 의해 분리되어 있을 뿐 모든 것은 본질과 현재를 지니고 있다는 것을……. 불교사상인지, 힌두교의 단일 사상인지, 노자의 물의 상징성인지, 심리학자 융의 전일 사상인지는 무지한 나로서는 알 길이 없지만, 헤세의 아름다운 비유와 심오한 상징이 가득한 시적 문장은 나를 반하게 했다. 특별히 뱃사공 바주데바를 흉내 내고 닮고 싶은 이 마음!! 글의 힘이랄까? 문장의 힘을 느끼는 순간이다.

　그로부터 며칠 후 초등 저학년인 딸의 친구들과 엄마들이 체험 활동을 갈 기회가 생겼다. 체험학습 신청서를 내고 양평에 있는 농촌 체험 마을에 가서 감자도 캐고, 고추장도 만들어 보고, 숲 속에서도 놀며 아이들과 즐거운 추억을 만들었다. 오후가 되면서 함께 체험하고 따라다닌 엄마들 대부분은 지쳐서 그늘에서 쉬고, 에너자이저 어머니 두 분만 아이들 송어 잡기 체험을 챙겨주고 있었다. 물론 저질 체력(ㅆㅆ)인 나는 지쳐서 쉬는 무리에 있었다. 냇가에 발 담그는 것도 귀찮은 상황이었다. 쉬면서 아이들 체험하는 거 멍하니 보고 있을 때, 내 눈에 무엇인가 나타났다. 바로 바주데바!! 냇가에서 뗏목 체험을 준비하는 아저씨가 뗏목을 타고 나타난 것이다. 뗏목을 본 순간 나는 어디서 나온 에너지인지, 어디서 나온 용기인지 모르게 자리에서 벌떡 일어나 뗏목으로 성큼성큼 걸어가고 있었다. 아저씨는 뗏목을 두고 유유히 가셨고, 아이들은 송어 잡기에 빠져 있을 때, 그 뗏목은 나 혼자만의 것이었다.

'뱃사공과 싯다르타가 강물 소리에 귀를 기울인 것처럼 나도 그렇게 해보자!'

강이 아닌 냇가였고, 아주 작은 뗏목에다 노 젓기가 아닌 상앗대였지만 혼자서 상앗대로 뗏목을 밀어 저 멀리 가 보았다. 쉬고 계신 엄마들의 시선이 내게 집중되는 민망함도 멀어지고, 송어 잡기로 왁자지껄한 아이들의 목소리도 멀어지며 물과 나, 그리고 그사이를 이어주는 뗏목만 있는 순간이 찾아 왔다. 물은 고요했다. 그 물이 내게 무엇을 말해주는지 고요히 쳐다보았다. 이 물속에서 바주데바는 어떻게 경청을 배웠고, 싯다르타는 어떻게 단일성과 영원성을 배웠을까? 그럼 나는? 피식 웃음이 나온다. 책에서처럼 심오함을 느끼지는 못했지만 잔잔한 감동이 몰려온다. 이렇게 뗏목을 타고 여기 있는 이 순간이 누구의 엄마나 아내가 아닌 나 자신과 만나는 순간이었다. 자신만의 시간을 잠시라도 갖게 해 준 헤르만 헤세의 문장력에 다시금 감탄한다. 이게 문장의 힘인가?

아이들도 문장의 힘을 느꼈으면 좋겠다. 책을 읽고 내면에서 하고 싶은 마음이 솟아났으면 좋겠다. 자율성을 가지고 용기 있게 해 보는 도전의식을 가졌으면 좋겠다. MBTI 성격유형검사를 통해 구분되는 자신이 아니라, 사색과 경험을 거듭하며 자신과 세상을 깊이 이해하고 사랑하는 힘을 키웠으면 좋겠다.

냇물과의 대화는 짧게 끝내고 다시 아이들과 엄마들이 있는 곳으로 뗏목의 방향을 돌렸다. 나의 모습을 찍어 주시는 엄마들과 송어 잡기 체험이 끝난 아이들이 내가 탄 뗏목을 타고 싶어 '선생님~!!'하며 물살을 가르며 달려오는 모습이 보인다.

이제 나는 아이들 뗏목을 태워주고 상앗대 잡는 법을 알려주는 공부방 선생님으로 돌아왔다. 그리고 한동안 나의 SNS프로필사진은 뱃사공 코스프레 사진이었다.

강물은 흐르고 흐르며 끊임없이 흐르지만,
언제나 거기에 존재하며
언제 어느 때고 항상 동일한 것이면서도 매 순간 새롭다.
-싯다르타 책 속의 뱃사공이 되어-

Chapter16
보자기에 싸인 난중일기

방숙희

쉽게보는 난중일기 (완역본)
이순신 / 여해

 8살 때쯤 일이다.
아버지께서 책을 보여 주셨다.
가죽 양장본이다. 세로로 크기가 컸다.

"이순신 장군의 난중일기다. 이순신 장군은 전쟁 중에도
일기를 썼어. 이순신 장군 부인은 방진녀 할머니.
방 씨 가문의 조상이야."
책은 광택이 나는 노란 보자기에 싸여 있었다.
노산 이은상 선생이 번역했다.

 전쟁 중에 일기를 쓰다니 대단하다는 생각을 했다. 다른
책 몇 권도 보자기 속에 있었다. 집안에서 만든 자료집에
이순신 장군 유적지와 방 씨 부인 정경부인 고신교지(대한
민국 보물 1564-9호)와 무덤이 칼라사진으로 있었다.

 나의 이순신 장군 사랑은 이렇게 시작되었다.
일기는 짧았다. 날씨가 적혀 있었다.

'공무를 보았다'가 주를 이루었다. 초등학생이 읽기에는 잘 이해가 가지 않았다. 이순신 장군 전기문에 만족했다.

대학생이 되었다. 재도전했다. 다독하던 시기였다. 급하게 읽어서인지 감흥은 생생하게 남지 않았다.

약 20년이 훌쩍 지났다. 이번에는 독서 모임 추천도서로 만났다. 그동안 우리나라 국보 제76호 난중일기는 2013년에 유네스코 세계기록유산으로 등재되었다. 영화 <명량>과 <한산>등이 제작되었다. 천만 영화 <명량>은 3번이나 보았다. 2018년에는 방진녀 할머니의 공식이름도 방수진이라고 국보 문서에서 확인되었다. 어떤 분이 난중일기를 평생 머리 곁에 두고 읽으셨다고 했다. 큰 동기부여가 되었다.

이번 독서모임에서 만큼은 천천히 음미하며 제대로 읽고 싶었다. 할머니의 후손으로 모종의 사명감도 있었다. 블로그에 기록을 남기며 읽었다. 여러 국역본을 준비했다. 임진왜란 당시 영의정 유성룡이 남긴 <<징비록>>과 함께 읽었다. 전시 상황의 입체적 파악이 가능했다. 이순신 전문가들이 쓴 해설서도 다수 참고했다.

일기는 팩트다. 강렬했다.

전쟁 속에 드러나는 다양한 인간유형이 살아 움직였다. 인간 행동 리포트를 읽는 기분이었다. 전장에서 군대 지휘관들의 일상과 백성들의 형편, 국가 간 외교관계와 정세 흐름을 발견하게 된다. 이순신 장군 심정에 몰입이 되었다.

아픈 아들 소식도 모른다. 적의 소탕은 늦어진다. 아내는 매우 위중하다는데 지금은 생사가 바뀌었을 수도 있다. 마음의 병도 중하다. 하지만 나라의 상황이 이런데 신경 쓸 겨를이 없다. 모든 것을 자급자족해야 한다. 백 번 죽어도 한 번 살 길을 찾아내야 한다.

독서모임이 지나갔다. 블로그에 독후감 쓰는 일은 계속했다. 위기가 왔다. 쓸 때마다 마음이 아파 왔다. 더 이상 진도가 나가지 않았다. 생경한 경험이었다.

"몸이 몹시 불편하여 종일 누워서 신음했다.
식은땀이 때도 없이 흘러 옷을 적시어
억지로 일어나 앉았다."
<<난중일기(완역본) 1593년 7월 12일 >>

조정에서는 유성룡이 도망가려는 임금을 진정시켰다. 땅끝 바다에서는 이순신이 징집령을 내리면 도망가려는 백성들 사이에서 갖은 애를 썼다.

"단 하루라도 제대로 된 나라였으면 좋겠다."
　유성룡 << 징비록>>

　책 읽기를 중단했다.
　난중일기는 이순신 장군을 생각하면 눈물이 그렁그렁 고이는 독서증후군을 남겼다. 다음 해 2023년 12월 20일 박한민 감독의 영화 <노량>: 죽음의 바다가 나왔다. 망설이다 안 봤다.

　2024년 5월 어느 날이었다.
　유튜브 쇼츠가 떴다. 야구선수 김문호 선수 부인이 춤추는 영상이었다. 그 후로 최강야구 김성근 감독 영상이 연속적으로 나왔다. 야구의 신 김성근 감독 신드롬에 일주일을 보낸 것 같다. 책도 있었다. <<인생은 순간이다>>이다. 이틀 후 배송이 온다기에 직접 교보문고에 사러 갔다.

　최강야구 원OO 선수가 빗 속을 계속 달리고 있다.
　"집에 가, 가라!"
　김성근 감독이 엄한 질책을 했다.
　큰 실수를 한 원OO 선수는 그다음 날도 야구장에서 달렸다. 야구에 대한 진심을 보였다. 김성근 감독은 사람을 버리지 않았다. 최강야구 육성 선수들 중 홀로 프로에 못 간이도 원OO 선수였다. 감독은 마음이 아팠다. 40년 만에 제자를 위해 남에게 아쉬운 부탁을 했다. 운동장을 빌려 추석연휴에 직접 나와 개인특별훈련을 해 준다. 원 선수는 프로에 데뷔하게 된다. 야구를 통해 인생을 전하는 김 감독의 일화는 수도 없다.

야구를 전쟁으로 확대하면 어떻게 될까?
거의 18개월 동안 읽지 않은 난중일기였다. 이순신 사상이 마음속 프레임으로 자리 잡고 있었나 보다.

김성근 감독의 책과 영상은 '난중일기 해설서' 같았다.

항상 '왜?'라는 생각을 갖고 앞으로 나아가라.
타협하고 후퇴하지 마라.
시선은 늘 앞으로, 미래로.
<< 인생은 순간이다>> 김성근 지음, 서문

"나는 최강야구 감독 제의를 받아들였을 때, 무엇보다도 사람들에게 희망을 주고 싶었다. 나이 들어 은퇴를 했든 프로에 지명받지 못한 선수든 노력하면 얼마든지 이길 수 있다는 걸, 노력을 통해 인생을 충분히 바꾸어 갈 수 있다는 걸 보여주고 싶었다."
<<인생은 순간이다. P.158>> 김성근 지음 -

이순신 리더십 연구소장 임원빈 교수는 이순신 장군을 민족의 영원한 멘토라고 한다.
그는 리더의 조건을 5가지로 소개한다.
1.꿈과 희망을 줄 수 있어야 한다.
2.변화를 주도할 수 있는 창의적 사고력이 있어야 한다.
(거북선, 학익진)
3.가치의식, 역사의식을 가져야 한다.
4.소통을 통한 국민통합 역량이 있어야 한다.
(운주당, 소통의 달인)
5.고결한 인격을 지녀야 한다.

다시 블로그에 남겨두었던 글을 읽어본다.
"나랏일을 생각하니 나도 모르는 사이에 눈물이 흐른다."
<<난중일기>> 1595년 1월 1일 -

나도 눈물이 맺힌다. 야구의 신을 통해 전쟁의 신을 다시 만났다. 두 사람이 벼랑 끝에서 생존의 길을 찾는 사람으로 오버랩된다.

주말에는 영화를 봐야겠다.
이제는 <노량: 죽음의 바다>를 볼 용기가 생긴 것 같다.

Chapter17
T 엄마가 사는 법

이선희

에밀
장 자크 루소 / 들음새김

나는 학창시절부터
확실한 답이 있는 것,
법칙, 공식이 있는 것을 좋아했다.

책 보고 이해하고,
해보면 답이 나온다.
간단하게.
깔끔하게.

그런데,

내 두뇌 회로가 고장 났다.
이렇게 어려운 문제 풀이가 있나~쩝 ;

너...때문이야~
누구?
내 뱃속에서 나온 아이~!
밤에 잠도 으~지간이 안자고,
성격도 까칠한 강땡구리~

얼굴에 립스틱 가득 묻혀놈

늦게 낳은 딸 잘 키워 보고 싶은데,

아는 것이 너무 없어 수많은 육아 서적을 읽었다.

이럴 땐 아이에게 이렇게 하세요. 이건 이겁니다.

그런데... 왜 대입이 안 되냐고..;

작가님들이 모든 경우의 수를 고려 안하신 모양~

이론보다 실전입니다!

대처가 애매한 경우 따로 검색까지 했답니다.

육아서적 작가님들 ... 실망이에요.

넌 기념일만 되면 몇 달 전부터 흥분하며 갖고 싶은 상품에 기대가 부풀어 노래를 부르지... 그런데 이런 경우는 문구점이나 다＊소에서 평소에 1~2천 원으로 살 수 있는 것과 차원이 다른 수만 원대 🍶 큰맘 먹고 이런 것을 사주잖아? 문제는 며칠 가지고 놀다가 곧 다른 물건에 꽂힌 다는 거야... 양가 부모님들이 손주 이쁘다고 주시는 용돈을 냉큼 받아 남김없이 사버리는 아이의 습관이 자주 심기를 건드린다. 집에는 안 쓴 수첩들과 스티커들, 컬러펜들 그리고 짧은 시간 놀다가 관심 밖에 난 장난감들이 한가득이란 말이지. 어린 마음에 그럴 수 있다. 나도 어릴 때 그랬거든. 결국 한쪽 구석에 박혀있던 불쌍한 아그들은 내가 꾸역꾸역 쓰고 있다.

지난주엔 시댁 가족들과 회식하려고 고깃집에서 만났지.

하필 그때 길 건너편에 대빵 큰 다*소가 있는 건 뭐람. ✧

  나의 시*님은 다*소를 확인하시고는, 언제나 그렇듯이 당신의 조카사랑을 표현하고 싶으셔서 지갑을 여신다. 집에서 훈육하는 방법과 달라진 상황에 난 이럴 때마다 아이에게 또 뭐라고 얘기해 줘야 할지 난감해진다.

  아이 아빠는 어릴 때부터 집에 있으면 부모님이 낮에도, 잘 때도 끊임없이 TV를 켜놓는 환경에서 자랐다. 미디어를 켜 놓는 것이 쉬는 거다. 폰으로 게임을 하며 노트북으로는 야구를 틀어놓는다. 다른 일을 하더라도 켜놓는다. 아~~~ 정말 이해할 수 없다. 아이는 아버지에게 뭘 배울 것인가. 그런 아빠의 모습을 지켜보며 비슷하게 닮아가는 아이.. 난 너에게 좋은 것 보여주고 싶고, 절약하는 습관을 들여 주고 싶고, 미디어가 아닌 바깥세상에 더 재미있는 것이 많다는 걸 알려주고 싶단 말이다.

  나의 아버지는
어릴 때부터 홀어머니와 형제들을 책임지시고,
땅을 일구어 온 시골의 한 농부.
때론 회사나 공장의 말단 노동자.

  남들이 입고 다니는 예쁜 옷들과

화려한 여러 가지 멋진 것들이
당시에 난 왜 그리도 갖고 싶었는지...
하지만,
부모님의 수고로운 삶은
한때 나의 헛된 바람을
세월의 흐름에 따라 불어 나가는
바람이 되게 했다.

 그 덕에 이제 나란 사람은 주어진 환경에서 충분한 재료
들을 취하고, 그것을 기반으로 차근차근 목표를 만들어 가
는 것에 익숙해진 사람이 되었다. 또한 부모님이 농사지으
신 것들로 가득한 밥상에 질려 편식이 심했는데, 배 채우
기 위해 꾸역꾸역 먹었던 시간들은, 나를 몸이 가벼워진
건강한 채식주의자로 만들었다. (식욕의 해소는 아주 평범
한 음식들을 통해서도 이루어지니, 아이들의 미각을 단순
하게 유지시키라는 책 속의 구절이 떠오른다. 옳거니!)

 내 눈으로 본 농부 부모님의 세상에는 결실을 위한 인내
만이 있었다. 씨를 심고 비가 오나 바람이 부나 새벽에도
묵묵히 씨앗을 지키며 책임감으로 견뎌야 하는 '인내'
말이다. 열매를 맺는 것도 있다. 썩어져 버려지는 것도 있
다.

이때, 루소의 [에밀]에서 보이는 구절 하나.
"이치를 내세워 따지지 말라.
아이의 신체와 감각을 단련시키는 데 힘쓰되 정신만은
한가하도록 내버려 둬라... (중략)
너무 일찍부터 선을 가르쳐 주려고 서둘지 말라.
천천히 가르쳐라." (84p)

으히히
내 잘못이 아니래~ㅋㅋ

여기에서 말하는 것,
육아는 부모의 인내였던가!
결국 아이보다 부모가 문제?!?

어리석은 엄마는
이제야 조금 알 것 같습니다.

사실은...
저는 답이 딱 떨어지는 문제를 좋아한 것은 맞는데,
이해하기까지는 시간이 좀 필요한 사람이에요. ><;

드디어 뭔가 해결할 실마리가 보이는 군. 하핫~!

육아 = $\sum \sqrt[3]{\exists} \propto$

이 공식에 대입해 문제를 다시 풀어봐야겠다.

독서는 완성된 사람을 만들고
담론은 재치있는 사람을 만들며,
필기는 정확한 사람을 만든다
-베이컨-

| 에필로그 |

　제가 좋아하는 반 고흐 책을 읽고 글을 쓰면서 제 안에 이미 있었지만 보지 못했던 사랑과 희망을 다시금 발견하고 희망을 곱씹을 수 있어서 제 마음이 따뜻해지는 것 같습니다. 글을 쓰면서 나 자신과 그리고 다른 사람과도 연결되는 경험을 하게 된 것 같습니다. 이런 좋은 경험을 할 수 있도록 좋은 기회 주셔서 정말 감사드립니다.　　　　　　　　　　　　　　　　　　- 임정희

　해보고 싶어서 욕심이 나서 선희 선생님의 더 없는 은혜를 입고는 덜컥 시작한 에세이 쓰기인데, 이렇게 쓰는 게 맞는지도 모르겠고 열두 번도 더 썼다 지웠다를 반복했습니다. 그래도 다 쓰고 나니 뭐라도 했다는 감정에 뿌듯합니다. 이번 기회를 통해 계속 조금이라도 끄적거려야 하겠다는 계기가 되었습니다. 함께 시작해 주신 멤버분들께도 깊이 감사드립니다.^^　　　　　　　　　　　　　　　　　　-박진영

　학창 시절 이후 글을 써본 기억이 없는 듯하다. 새.깨.독을 통해 너무 오랜만에 글을 쓰게 되면서 초반에는 기대의 흥분감과 긴장감에 기분 좋음도 느끼고, 마감날이 다가오면서는 내 글이 책으로 나오면 너무 부끄러울 것 같아 후회의 감정도 들었다. 마치 녹음해서 듣는 내 목소리를 들었을 때의 그런 부끄러움이 느껴질 것 같아서……
　그래, 시작했으니 부끄러움도 나의 몫! 우선은 마음 끝자락 어디에선가 숨어있을 뿌듯함을 소환해야겠다. 잘 썼든 못 썼든 기한 내에 마쳤으니 셀프 칭찬은 덤이다!
　　　　　　　　　　　　　　　　　　-오로라

내가 책을 펼칠 때 책이 나를 펼쳐주고, 내가 책을 읽을 때 책이 나를 읽어주는 것 같습니다. 책을 펼치면 마음이 편해지고 정신이 맑아지는 느낌을 받습니다. 다양한 책을 펼칠 수 있게 도와준 '새깨독' 독서모임에 감사를 드리며, 함께 책을 쓰는 과분한 기회를 주셔서 감사합니다.

- 따뜻한 지역공동체를 만들고 싶은 '하브루타 공부방' 따다샘

달리기가 제 삶의 중요한 일부분이 되면서 느꼈던 소중한 경험들을 정리해 보았습니다. 이 짧은 글이 오늘도 힘들다고 느끼는 많은 분들께 달리기를 시작할 작은 용기를 선물하고, 저처럼 활기차고 긍정적인 에너지를 발견하는 데 도움이 되기를 바랍니다. 끝으로, 새벽을 깨우는 독서모임(새깨독)에게 진심으로 감사의 마음을 전합니다.

-이규진

어떤 일을 시도할 때, 그냥 가벼운 마음으로 덤벼드는 것도 나쁘지 않은 방법이라고 느낀다. 잘 해내겠다는 마음, 꼭 해야 한다는 마음보다도 '한 번 해볼까?' 하고 진짜 그냥 한 번 해보는 것. 이 새깨독 출판 프로젝트가 내게 그랬다. '완벽하지 않아도 되지 않을까? 한 번 해보자.' 하는 마음이었다. 아무것도 없는 나를 이 프로젝트에 끼워주셔서 감사하다. 〈나의 첫 책〉이라는 단어가 나를 미소 짓게 한다. 좋은 책을 만난 것도 감사하고 나의 감상을 책으로까지 남기게 해 주셔서 감사합니다.

-조종희

아빠를 늘 옆에서 든든하게 챙겨주는 한국에 있는 언니에게 먼저 고맙다는 말을 전하고 싶다. 아빠를 모시고 병원에 간 것도. 모든 것을 지켜보며 필요한 것을 챙겨주는 것도 옆에서 힘들어하시는 엄마를 돌보는 것도 모두 언니의 몫이 되어버린 거 같아서 늘 마음이 무겁고 미안했다. 현재 아빠는 주간 보호센터 가시려고 알아보고 계시는 중이다.

-김향숙

열심히 달려오다 강제로 휴양 중이다. 동료와 후배들에게 글 써보라는 제의를 받았다. 현장에서 아이들을 안아주기(상담용어) 하는 상담사, 강사가 성인들(강사, 부모, 상담사)에게 들려주는 글을 써보라고 했다. 중학생 이후로 글쓰기는 공지 외에 낯설었다. 그러던 중 하브루타미래포럼 이선희 대표님이 여러 명이 함께 쓰는 글쓰기 모집을 했다. 묻어가는 느낌으로 신청해 보았다. 아주 짧은 글도 집중력이 필요했다. 색 다른 소중한 경험이 되었다.

-권태남

마감의 아쉬움과 고마움

마감이란 말은 언뜻 긴장감을 준다. 의무, 쫓김, 부담, 미안… 등등의 단어가 떠오른다. 자유, 여유, 편안, 자원… 등의 말들이 그 반대이리라. 새깨독 출판 프로젝트에 참여하면서 더욱 실감하는 글쓰기 마감이었다. 하지만 마감 덕분에 부족해도 이 글이 나왔다고 생각한다. 마감이 글에 아쉬움을 주었지만 그 고마움이 더 큰 것이 사실이었다. 어찌 감사한 일이 아닌가! 마감을 정해 출판을 격려해 온 대표님께 고마운 이유이기도 하다.

-표명환

나에 대한 에세이를 써 보고 싶었습니다. 내 인생을 바라보고 싶었습니다.

자전거를 타며 빨리 달려보고 싶고, 천천히 주변을 보고 싶기도 하고, 누군가와 함께 타보고 싶기도 합니다. 하지만, 그전에 자전거를 타는 법은 혼자 터득해야합니다. 인생의 삶에 어려움을 이겨내는 법을 터득해 가며 살아가는 저에게 가장 해주고 싶은 말들을 적어 보았습니다. 긍정의 저를 더 바라보는 계기가 되었습니다. 감사합니다.

-서승임

글을 마치며... 펀의 엄마가 그만하라고 터무니없다고 한 말에서 저는 피식 새는 웃음과 함께 책에서 빠져나오게 되었습니다. 오직 아버지의 흔적을 찾으려고 이 책을 읽고 있었으니 말입니다. 하지만 곳곳에 내 아버지를 묘사해 놓아 추억하게 해 준 고마운 책, 제목까지 마음에 드는 '샬롯의 거미줄'입니다. 그리고 이 글을 쓰면서 잠시라도 저의 마음이 아버지에 대한 추억과 마주하는 시간을 갖게 됨에 감사합니다.

-김정자

"부디 살아만 있어 다오!" 내게 말씀하시던 시모님의 심정이 이런 거였을까?
2007년 출근길 대형 교통사고 두 번째 나던 날 시모님은 "제발 우리 큰아들 홀아비 만들지 마렴! 이젠 제사 때나 명절에 시댁에 안 와도 된다." 고 선언하시며 종손며느리 역할에서 해방시켜 주셨다. '곁에만 있어줘요.' 간절한 외침이 울린다. 신외무물! 건강밖엔 아무것도 없음을 느끼는 요즘 우린 '24시간 짝꿍'에 감사함으로 오늘도 보낸다.

-김옥남

인문.고전 읽기를 함께 하며 너무 좋았기에 에세이 쓰기도 함께 하고픈 마음에 번쩍 손을 들었습니다. 짧은 글이지만 제가 책 속에서 얻고자 했던 것이 무엇이었는지 쓰고 나니 알게 되는 계기가 되었네요. 너무도 뜻깊은 시간이었습니다.

-꿈잉 이승희

책을 읽고 에세이를 쓰며 내 감정을 어떻게 다루었는지, 그리고 사랑하는 아들의 마음을 충분히 이해하고 공감해 주었는지 돌아보는 소중한 시간이었다. 또한, 이번 에세이집 프로젝트를 총괄하신 이선희 선생님께도 진심으로 감사드린다. 마지막으로 자신의 감정을 탐색하고자 하는 모든 분들께 〈감정의 발견〉을 추천한다. 모두가 자신의 감정을 발견하고 통찰함으로써 더욱 행복한 세상을 만들어 갈 수 있기를 바라며, 이 글을 마무리한다.

-이수영

좋은 기회에 뜻이 맞는 분들과 책을 쓰게 되었다. 내가 좋아하는 책을 통해 나 자신에 질문하면서 다시 한번 나를 이해하고 가족을 생각해 보는 시간이 되었다. 나를 성장하게 만들어 준 우리 딸 리본이와 하브루타 강사로 전향하며 바쁜 나를 지지해 주고 응원해 주는 우리 남편 수리수리 그리고 양가 부모님들께 감사하다고 전하고 싶다.

-유소현

새깨독 첫 공저! 멤버님들 조합이 끝내줍니다~ 제가 모두 존경하는 분들이에요. 내공도 깊으시고 열심히 하브루타 실천하시는 멋진 분들이죠. 저를 믿고 함께 따라와 주신 여러분 감사해요. 마지막으로 개인 사정으로 모임 함께 하지 못하지만 정봉영 선생님~!! I miss you~♡

-이선희

어릴 적 보자기에 싸인 난중일기를 보았다. 책과 글쓰기의 소중함을 느꼈다. 역사의 비하인드 스토리도 재밌었다. 이순신은 유력한 재력가 방 씨 가문의 데릴 사위였다. 재산은 덕수 이씨에게로 상속 되었다. 나라 구한 이순신을 키우는데 쓰였다. 자랑스 럽다. 조선3대 명궁인 장인은 김성근 감독처럼 사위의 인생 멘토가 되어 주었다. 가 치 있게 재물을 쓰는 방법, 인재 양성의 중요함을 새기게 된다. 한민족 새 길을 열어준 기록, 난중일기는 내 인생 책이다. -방숙희

부록 - 독서모임 활동지

1.감사나눔	
2.책제목	
3.인상깊은 구절/이유	
4.나누고 싶은 질문	
5.마무리 자유롭게 쓰셔도 됩니다.	이 책은 _____라고 말한다. 그 이유는 _____이기 때문이다.

4th Anniversary

카카오채널/
독서모임소식
채널추가 후 채널 톡으로 '도서목록희망' 메시지 남겨주시면
그동안 진행한 도서 목록 링크를 보내 드립니다.

@SUNNY_HAVRUTA

인스타그램 계정/
운영자의 하브루타 활동&정보

@HVF.CO.KR

하브루타미래포럼
HAVRUTA VISION FORUM

책삶은 글쓰기

발 행 | 2024년 6월 27일
저 자 | 권태남,김옥남,김정자,김향숙,방숙희,박진영,
　　　 서승임,유소현,오로라,이규진,이수영,이선희,
　　　 이승희,임정희,따다샘,조종희,표명환

펴낸이 | 한건희
펴낸곳 | 주식회사 부크크
출판사등록 | 2014.07.15(제2014-16호)
주 소 | 서울특별시 금천구 가산디지털1로 119 SK트윈타워 A동 305호
전 화 | 1670-8316
이메일 | info@bookk.co.kr

ISBN | 979-11-410-9079-1

www.bookk.co.kr
ⓒ 이선희 2024